Świat dla ciebie zrobiłem

Zośka Papużanka

Świat dla ciebie zrobiłem

KRAKÓW 2017

Projekt okładki
Magda Kuc

Fotografia na okładce
Copyright © mikroman6/Moment Open/Getty Images

Fotografia autorki na czwartej stronie okładki
Copyright © Leszek Zych, POLITYKA sp. z o.o. s.k.a.
2016–2017

Redakcja
Marianna Sokołowska

Opieka redakcyjna
Agata Pieniążek

Korekta
Anna Mirkowska
Magdalena Matyja-Pietrzyk
Katarzyna Onderka

Łamanie
Piotr Poniedziałek

ISBN 978-83-240-4624-9

Książki z dobrej strony: www.znak.com.pl
Więcej o naszych autorach i książkach: www.wydawnictwoznak.pl
Społeczny Instytut Wydawniczy Znak, ul. Kościuszki 37, 30-105 Kraków
Dział sprzedaży: tel. 12 61 99 569, e-mail: czytelnicy@znak.com.pl
Wydanie I, Kraków 2017
Druk: CPI Moravia Books s.r.o.

dla Ł., to i wszystko

Kaprys

Nie, to nie była ucieczka. Umówiliśmy się przecież już dawno, że wyjedziemy gdzieś w lipcu, razem, choćby na weekend. Tak, umówili się przecież już dawno, że wyjadą w lipcu, razem, choćby na weekend. Przygotował się, wziął urlop w piątek, żeby się spakować – zawsze miał z tym kłopoty, tiszert na dnie walizki, buty wyżej, spodnie wyżej i już nie wiadomo, czy tiszert był jeden, czy dwa, a w tych butach najwygodniej będzie pojechać, więc i tak trzeba je wyjąć. I pozornie zwykłe, łatwe rzeczy, ładowarka do telefonu, krople do oczu, etui na okulary, które każdego powszedniego dnia były pod ręką, nagle bawią się w chowanego. I jeszcze rozważanie potrzebności i natury każdego przedmiotu, i perlisty śmiech z jego nieudolności, po co bierzesz kąpielówki, albo kamera, po co ci kamera, jak na wiejskim ślubie, zrobimy kilka zdjęć i tyle, film i tak ogląda się tylko raz, bo człowiek nie może się sobie nadziwić, że się w taki dziwny sposób porusza, że ma taki duży nos z profilu, o czym wcześniej nie wiedział, po co to nagrywać. Albo po co woda utleniona i bandaż, przecież wszędzie są apteki, nie jedziemy na koniec świata.

Nie jedziemy, powiedziała, ja nie mogę. Pamiętam, że się umówiliśmy, że razem w lipcu weekend chociaż, ale nie mogę, muszę być w pracy, w sobotę w pracy, tak, właśnie w sobotę w pracy i w niedzielę w pracy, muszę dokończyć projekt i wysłać najpóźniej w poniedziałek, nie, nikt inny nie może, ja się tym zajmowałam od początku, za dużo byłoby tłumaczenia, zresztą to mój projekt i nie chcę, żeby mi ktoś w nim grzebał. Mogę zabrać laptop, ale nie po to wziąłeś urlop chyba, żeby go spędzić z moim laptopem. Wiem. Wiem. Nic nie poradzę. No to jedź sam, skoro ci tak potrzebna ta wieś, skoro chcesz sobie kąkolem i chabrem oddychać i komary tłuc, jedź, ja się nie pogniewam, tylko nie wiem, czym zamierzasz jechać, bo w piątek muszę oddać samochód do naprawy, już się umówiłam z mechanikiem. Autobusem możesz.

Trzeba się przepakować. Kartka, na kartce jak się zapisze wszystko, to jakaś szansa istnieje. Skarpetki – 3 pary (1 parę odłożyć, bo to właśnie są skarpetki na podróż). Na podróż autobusem. Po namyśle postanowił jechać bez skarpetek i w sandałach, żeby się sobie samemu wydawać bardziej na luzie, skreślił więc zawartość nawiasu. Tel., ładowarka do tel., aspiryna, środek przec. owadom, pieniądze, dokumenty, prawo jazdy zostawić, kąpielówki, nie wiadomo po co książka, czy ja tam będę miał czas czytać, 2 książki, kompas, lornetka, co za pomysł w ogóle.

Uświadomił sobie, że nigdy nigdzie nie był sam. Jakieś kolonie (kąpielówki obowiązkowo), obozy harcerskie (kompas, igła z nitką, zapałki, czy zapisałem zapałki), pełne kretyńskich pobudek w środku nocy i zdobywania niezwykle potrzebnych do życia w mieście sprawności, takich jak budowanie latryny z trzech badyli w lesie po ciemku. Potem obowiązkowe wyjazdy pracownicze – wszyscy z czarnymi teczkami, wszyscy ogoleni, jakieś nudne szkolenia o funduszach w ramach programu i programach w ramach środków, nic o środku w ramie ani o ramach środka, idiotyczne konkursy wieczorne i rozochocona pani Basia, która po czterech winach wskoczyła w garsonce do basenu i na krótką chwilę zachwyciła się swoim człowieczeństwem, by następnego dnia o ósmej rano znowu szkolić z funduszu. Zawsze wyjazdy z kimś, nigdy sam, nie umiem jechać sam, od kiedy cię poznałem, planowałem ten wyjazd, tyle lat, a my sobie nie pozwoliliśmy na żaden urlop, daliśmy się zeżreć funduszom i benzynie, a tu trzeba się mleka od krowy napić i pod lipą posiedzieć. Nie umiem sam.

Pierwszy autobus odjeżdżał po siódmej rano, kolejny późnym, lepkim, piątkowym popołudniem. Wybrał popołudnie i prędko tego pożałował. Spocony, udręczony lipcem tłum wracał po pracy do domów, a on, wciśnięty między okno a ogromną, biuściastą kobietę z dwiema prowiantowymi torbami na kolanach, zauważył, że ludzie potrafią mieszkać wszędzie, wszędzie, aż po horyzont. Ogromna kobieta wysiadła, zostawiając po sobie zapach kiełbasy, potem przysiadł się chudy chłopiec z dziwnym pokrowcem pod pachą, jakby na jakiś instrument, ale nie wiadomo jaki. Autobus zatrzymywał się co kilka minut w miejscach, w których, wydawałoby się, nie ma niczego, a jednak na każdym przystanku ktoś wsiadał i ktoś wysiadał. Ludzi jest zbyt wielu, pomyślał, ludzi jest na tym świecie i w autobusie stanowczo zbyt wielu, teraz ja powinienem wysiąść.

Nie dotknął nawet furtki, gdy zza domu wypadł z głośnym ujadaniem mały czarny pies i zaczął pastwić się nad ogrodzeniem, próbując je przesadzić w każdym możliwym miejscu, żeby tylko dopaść, och, żeby tylko dopaść tych obcych spodni, obcych sandałów bez skarpetek. Spokojnie czekał, wodząc wzrokiem za szalejącym kundlem. Po chwili z domu wyszła kobieta, warknęła na psa, który natychmiast podwinął ogon. Zapytała oczywiście, jak podróż, ale chyba nie zależało jej na odpowiedzi, bo wyprzedziła przybysza w sandałach i ruszyła szybkim krokiem w kierunku starej, ale dobrze utrzymanej chałupki, oddzielonej od reszty świata płotem, którym zachłysnęły się malwy i wszędobylskie ręce powoju.

Kobieta otwarła dom, zapaliła światło, zaprezentowała gościowi folklorystyczną nowoczesność wnętrza, zgarnęła z ceratowego obrusa owadzie truchła, uchyliła okno, sprawdziła kurki i spłuczkę w łazience, włożyła do kieszeni fartucha podane jej banknoty i wyszła.

I kiedy jej kroki ucichły, dotarło do mnie, że jestem sam, że nie umiem i nie bardzo wiem, co teraz, że mam co prawda jakieś kanapki, ale co ze sobą, co ze sobą teraz zrobić, nie mam pojęcia. Powinnaś była ze mną przyjechać, raz zrezygnować ze swoich projektów i funduszy i przyjechać. Albo ja powinienem zostać z tobą w domu. Nie powinniśmy w każdym razie się rozdzielać, bo to nam nie służy, stanowczo nie służy takie rozdzielanie, kiedy już ludzie nauczyli się ze sobą być, o Boże, co za bzdury. Nie, to nie jest ucieczka, nie w tych kategoriach, ucieczka od czego zresztą, zaplanowałem ten wyjazd i pojadę.

Napuścił pełną wannę chłodnej wody, zanurzył się i siedział w niej, dopóki skóra na jego dłoniach i stopach nie pomarszczyła się jak jesienne jabłko.

Dlaczego ona nie zapytała, dlaczego gospodyni nie zapytała, czemu przyjechałem sam, przecież powiedziałem przez telefon, że będziemy we dwoje, że agroturystyka, ale z łazienką, nie ma mowy o budowaniu latryn, za stary na to jestem. Dlaczego nie spytała, to dziwne. Przecież mówiłem, we dwoje, rezerwuję cały domek, najważniejsze, żeby był spokój, odpocząć, wyspać się,

żadnego sklepu w pobliżu, żadnych laptopów z fundu-
szami, jak najmniej ludzi, tylko leżak i dobra książka,
tylko my dwoje, tylko ja sam.

Postanowił poczytać w łóżku, ale gdy wyszedł z wan-
ny i nastawił wodę na herbatę, poczuł znużenie. Żeby
się oszukać, jak oszukujemy tych, z którymi trudno
nam wygrać uczciwie, usiadł z książką przy stole. Od
dawna oczekująca na swój czas powieść, gdy czas już
przyszedł, okazała się mniej zajmująca, niż się spodzie-
wał, a może to zmęczenie nie pozwalało mu się skupić;
mimo wszystko czytał, zmuszając się do brnięcia z nud-
nym, ubezwłasnowolnionym bohaterem przez kolejne
linijki jego życia. Na stół spadła nagle przejrzysta, srebr-
na ćma. Trzepnął ją nieudolnie wierzchem dłoni. Zachwiała się i powędrowała, kuśtykając, pochylona jak
mniszka. Nudziarz, dupowaty nudziarz z tego bohatera.

Podniósł głowę i zobaczył w kręgu światła lampy
owadzie miasto, społeczność ciem, much, komarów
i innych latających stworzeń, których nazw nawet nie
znał, społeczność w chwili odprawiania szeleszczącej
liturgii wokół żarówki. Zamknął prędko książkę, zgasił
światło i wszedł do łóżka.

Na pewno nie zasnę, pomyślał, łóżko jest oczywiście
za duże, jak można zasnąć, mając tyle wolnego miejsca
z każdej strony, postanowiłem, to postanowiłem i już,
ona nie może myśleć, że mną steruje, że jej praca jest naj-
ważniejsza, kąkolem pooddychać, a pewnie, laptopem

może lepiej, zrobiłem tak, jak chciałem, musimy sobie
dać trochę czasu, trochę miejsca, zawsze się tak mówi,
ale to nie o to chodzi, na pewno nie o to chodzi, nie
tym razem.

Zdziwiła go ciemność. Prawdziwa ciemność, nie
udawana ciemność miejska, ponakłuwana latarniami
i neonami sklepów, ciemność ginąca z każdym nad-
jeżdżającym samochodem, ciemność nieciemna, która
potrzebuje tysięcy skrzących się prostokątów, za pro-
stokątami ktoś czyta, rozmawia, w laptopie kąkole
sprawdza, zawsze ktoś nie śpi, nie ma ciemności. A tu
ciemność. Oparł się plecami o ścianę, zobaczył cień
własnych dłoni tuż przy twarzy, a potem zaczął je od
siebie oddalać. Już. Zniknęły. Nie mam rąk, pomyślał.
Nie ma mnie w tej ciemności.

Położył się na wznak i spojrzał w sufit, zamiast którego była ciemność. Jak w trumnie. Tylko w trumnie nie
ma tyle miejsca po prawej i po lewej stronie. Ciekawe,
czy są trumny dwuosobowe. Bo może ktoś na przykład
chciałby leżeć w trumnie z żoną, mężem, z ukochaną,
skoro się razem spędzało każdy lipiec, każdy lipiec tylko
dla siebie, żadnych laptopów i bez wcześniejszego szkolenia, to może i w trumnie ktoś chciałby razem leżeć
z kimś, z kim jest zżyty, kogo w lipcach się nie opusz-
czało. Nie, nie, musimy dać sobie trochę czasu, miejsca, boże, jakie banały, coraz gorsze banały, w trumnie
i tak miejsca nie ma.

Nie zasnę. Na pewno nie zasnę. Do takiej ciszy i ciemności trzeba się przyzwyczaić, mieć czas i miejsce, żeby sobie je dać. Nie zasnę. Zasnął.

Obudził się w ciemnościach. W hałasie. Niby wiejska, ciemna cisza, a jednak hałas. Nie koniki polne, szmerające za oknem, nie żaby w stawie, ale hałas. Hałas ze ściany. Głośne buczenie, jakby ktoś nad jego głową kręcił drewnianą terkotką rozpaczliwe młynki. Cisza. Nad głową sufit, którego nie ma. A może to nie nad głową. I znowu. Cisza. W ścianie pewnie. Tylko że ściany nie widać, może ściany nie ma. Znowu. Znowu. Cisza, wrzasnął. Znowu. Zatkał uszy i poczuł wirowanie w sobie, jakby przez palce w uszach przeszło w niego. Na pewno jest w ścianie. Cisza. Znowu. Przypomniał sobie rodzinne wakacje w leśniczówce i smętne, przeciągłe dźwięczenie korników, pół nocy g-moll. Rano tata obchodził drewniany domek ze strzykawką, w której była śmierdząca, bursztynowa śmierć, i wstrzykiwał tę śmierć w każdą dziurę w drewnie, w każdy napotkany otwór, zadowolony ze swojej męskiej roli mordercy, aż do wieczornego g-moll. Znowu. Na pewno to jest gdzieś w ścianie, chociaż buczy bardziej niż korniki, korniki przy tym to miły szelest, kołysanka, śpij, maleńki, nie, nie zasnę. Znowu. A jeśli nie w ścianie, tylko w pościeli, przejdzie się po nim, wejdzie hałasem do głowy, były takie owady, dzieci na podwórku się straszyły, że włażą do uszu i nie da się ich wyjąć, składają tam jajka i jest się na wieki robaczym domem. Albo użre po prostu. Nigdy podobno nie wiesz, czy nie jesteś uczulony, dopóki cię coś nowego nie użre. A wtedy masz jakieś trzy minuty. I nawet nie ma laptopa, żeby sprawdzić, jakie są objawy wstrząsu anafilaktycznego. Czy coś takiego. Znowu. Histamina. Skurcz mięśni gładkich. Które to są mięśnie gładkie? Znowu.

No nie. Trzeba być mężczyzną. Trzeba wyjść z łóżka i zatłuc instrument oszałamiający. Trzeba nogi ostrożnie spuścić na drewniane deski, po jednym palcu do podłoża dociskając, bo może tam siedzi, może czyha i użre. Nie ma. Ale gdzieś jest, bo głosi, lamentuje wniebogłosy, choć nieba nie ma, nie ma nawet sufitu. Trzeba zapalić światło i znaleźć. Ale jak zapalę światło, zaraz się zlecą komary, krwiopijcy, w dźwiękach kołatki będą nadlatywać, brzęczenie komara nad uchem, gdy już człowiek zasypia, już zasypia, już już, a tu cichutkie cis, ja tylko na chwilę i już mnie nie ma, zostanie ci czerwona plama do drapania przez dwa dni, a jak zaświecisz światło, żeby mnie znaleźć, to się dowiesz, ilu nas jest naprawdę. Właściwie ile, bo to baby komara przecież gryzą. Kobiety komary. Na obozie harcerskim w podstawówce głupi Tomek się zakładał z chłopakami, że jak się mięsień zaciśnie, to komar nie może trąby wyjąć. I zacisnął, jak mu komar na przedramieniu usiadł, zacisnął, zawziął się, a komar trąby wyjąć rzeczywiście z Tomka nie mógł, nogami się o Tomka opierał i ciągnął, ale Tomek mięśnia nie puszczał, wszyscy patrzyli, jak się Tomek z komarem męczy i zakład wygrywa. Może to był właśnie mięsień gładki. Znowu. Zresztą trąba nie nazywa się trąba, tylko aparat kłująco-ssący czy jakoś tak. Znowu. Trzeba zamknąć okno, zaświecić światło i zatłuc. Stop muzyka.

Trzeba będzie wstać i znaleźć kontakt na ścianie. A jeśli się nie trafi. Jeśli pod palcem nie kwadratowy boży przycisk, nie fiat lux, tylko to coś, obłe, twarde, może nawet spadnie, gdy go dotknąć, spadnie pod dotykiem, przespaceruje się po pościeli, zacznie uciekać i wejdzie nie wiadomo gdzie, jaki miało tytuł to opowiadanie Kafki, że się facet rano budzi, nie, nie, bez takich rzeczy, przecież nie ma laptopa, żeby sprawdzić. Znowu.

Zerwał się z łóżka, przycisnął dłonie do ściany, przesunął w prawo, w lewo, znalazł kontakt. Światło. I cisza. Nagle cisza. Rozejrzał się. Podniósł poduszkę. Ze ściany spojrzał na niego święty Antoni zza szkła, wiejski święty Antoni, z liliami i tonsurą. Święty Antoni, patron rzeczy zagubionych. Święty Antoni, znajdź tego robala, bardzo cię proszę. Nie wygłupiaj się, powiedział święty Antoni, czy ty go zgubiłeś? Jakże mogę znaleźć coś, czego nie zgubiłeś? Czy to twój robal? Jak twój, to sam sobie poszukaj.

Zrzucił kołdrę. Wytrzepał prześcieradło. Cisza. Kucnął i sprawdził, czy nie ma szpar w podłodze. Obejrzał dokładnie wszystkie ściany, centymetr po centymetrze, z góry na dół, i dla pewności w przeciwną stronę, gdyby robal gdzieś zaparkował podczas jego niepatrzenia. Niedopatrzenia. Przyjrzał się ponownie świętemu Antoniemu, ale święty Antoni nic. Postanowił się zaczaić, poczekać. Teraz cisza, ale za chwilę pewnie nie wytrzyma i włączy ten piekielny magnetofon. A wtedy huzia, po męsku, ukatrupić, żadnej litości. Chcesz imprezy, będziesz miał. Czyjaś krew się poleje. I świętemu Antoniemu się pokaże, że sobie mężczyzna poradzi bez niebieskiej interwencji, taki spryciarz jesteś, nie mój robal, pewnie świętego Franciszka ten robal, pewnie go święty Franciszek zgubił.

Zgasił światło. Niech sobie święty Antoni w ciemnościach posiedzi, skoro taki nieużyteczny. I w ciszy. Bo cisza nagle nastała i ciemność. Policzył do stu. Powoli, dla pewności. Przykrył się kołdrą po sam nos i przyjrzał się odważnie ciemności. Cisza. Zapomnieć. Przebaczyć. To się nie stało. Jakbyś tu była, na pewno nie pozwoliłabyś, żeby to się stało. Ach, żałuj, że ze mną nie pojechałaś, jaka cudowna wieś i kąkole, całą noc oka nie zmrużyłem. Coś brzęczało i brzęczało, i nie dawało mi spać. Albo nie, coś brzęczało i brzęczało, ale szybko się uspokoiło. Nawet nie wiesz, jaka cisza na wsi. Albo nie, coś brzęczało i brzęczało, ale zupełnie się tym nie przejmowałem, po co bym się miał robalem przejmować, na świecie jest jakiś milion gatunków robali, a nikt się nimi nie przejmuje, zresztą robale podobno są pożywne, mają dużo białka, w laptopie można to sprawdzić. Ja nie zamierzam się jakimś robalem przejmować. Znowu. Znowu. Wsi spokojna, wsi wesoła, oszaleję, pomyślał, oszaleję przez robala. Znowu. Schował się całkiem pod kołdrą. Zawinął wszystkie jej brzegi. Jak mumia egipska, zdążył pomyśleć, zanim wsadził sobie palce do uszu i zacisnął oczy. Jakby szło po mnie wojsko, pomyślał, jakbym na galerze pracował, jakbym mieszkał na nieustannie remontowanym świecie.

Otworzył oczy. Obudziła go pełnia światła i zwyczajny hałas dnia, złożony z milionów dźwięków, z których żaden nie oszałamiał. Nastawił wodę, wsypał kawę do szklanki. Czajnik zagwizdał jak pociąg na znak miłego, chwilowego rozstania, jutro pojutrze się zobaczymy, a tymczasem daj mi się przekonać, że umiem tęsknić, że umiem być sam, gdy sam być nie chcę, bzdury, od rana bzdury, bo się nie wyspałem. Człowiek czasem potrzebuje samotności i takich truizmów, dlatego przyjechałem tu sam, dlatego nie przyjechałaś tu ze mną.

Podciągnął spodnie piżamy i otworzył drzwi. Prawie wszedł w talerz, który na progu zostawiła gospodyni. Jajka. Już ugotowane. Prawie zimne. Kubek mleka. Usiadł na ganku z talerzem na kolanach. Obrał jajka, byłabyś zaskoczona, jakie te żółtka żółte, człowiek, co w mieście mieszka i w markecie się odżywia, nigdy takiego żółtka nie widział, żółte jak słońce, nie jakieś wyprane, blade jajka marketowe. Nie dowiesz się, żółcią żółtka nie dasz się zaskoczyć. Dlatego nie przyjechałaś tu ze mną.

Zjadł jajka, wlał trochę mleka do kawy, wyszedł na ganek. Książka. Książka wreszcie. Bohater to co prawda dupowaty, ubezwłasnowolniony nudziarz, ale można się w spokoju dowiedzieć dlaczego. Skąd jego dupowatość. Może nikt z nim na wakacje nie jeździł. Może mama tylko na kolonie, na obozy harcerskie go wysyłała, byle jak najdalej, a on się uczył latryny w lesie kopać. Są tacy dorośli już, co z mamusiami mieszkają, pieszcząc ubezwłasnowolnienie swoje, w dupowatości się lubując, bo im tak wygodniej. Książka. Wieś ćwierkała, turkotała traktorem czy jakąś inną maszyną, brzęczała polem kąkolem. Ale jakoś te dźwięki nie przeszkadzają. Można? Można. Bohaterem można się zająć w spokoju dupowatym, wypocząć, oderwać się, zrelaksować, coś tam jeszcze, spa dla uszu. I dla bohatera można nabrać zrozumienia, bo przecież bohater się rozwija, nie taki całkiem dupowaty, od setnej strony podejmuje samodzielnie ważne decyzje życiowe, dojrzał. Nikt nie dojrzewa przecież zaraz po okładce, stu stron trzeba przynajmniej. Bohaterowi należy dać szansę, w spokoju mu pozwolić dojrzewać.

Świerszcz spadł na książkę znienacka, ciężko, nie wiadomo skąd, jak źle wystrzelony pocisk. Spadł prosto na dupowatego bohatera i jego rozmowy z samym sobą. I siedział. Dobrze mu było chyba na białej kartce z rzędami czarnych robaczków, wielkiemu robalowi, królowi hałasu, brązowemu perkusiście. Zagiął dziwnie przegub przedniej kończyny, właściwie co mają świerszcze, kończyny? No przecież jakoś to się musi nazywać. I podrapał się kończyną po pasiastej głowie, po czarnym, nieruchomym oku. Widziałem świerszcza, wiesz? Opowiedzieć ci? Spadł mi na książkę, gdy czytałem, siedział tam chyba z dziesięć minut, a ja się bałem poruszyć, taki był piękny, możesz sobie w laptopie sprawdzić, ale taki piękny nie będzie, piękny świerszcz tylko naturalny, wiejski, co na książce siada.

Opowiem ci o świerszczu. Wcale ci nie opowiem o świerszczu. Wcale nie był piękny. Wszędzie miał jakieś czułki i kończyny czy odnóża, nawet z tyłu mu coś wystawało i przestraszyłem się, że mnie ugryzie, że się na mnie rzuci, jeśli tylko kartką poruszę, dlatego przeczytałem sąsiednią stronę osiem razy, zanim sam zeskoczył. Udawałem, że go nie widzę, że nie zwracam na niego uwagi, że mi jego obecność nie przeszkadza. Ileż można być dupowatym bohaterem. Zresztą wcale ci nie opowiem. Nie opowiem ci o świerszczu nic, ani słowa.

Więc to ty jesteś, powiedział. To ty, zrzędo zza ściany, całonocny grajku za pięć złotych, przeszkadzaczu wiejski, spasiony, brązowy, o nieruchomych oczach. Ty mi całą noc grałeś. Przyszedłeś się pokazać, co? Chłopczyku z instrumentem pod pachą, ty janku muzykancie cholerny ludowy, ty ce dur ce dur ce dur i nic więcej, jak na harcerskim ognisku, wszystko w ce dur, niewydarzony paganini, po co ci to ce dur, chyba twoje samice na to ce dur lecą, prymitywny gust muzyczny, doprawdy, takie same brązowe i twardogłowe jak ty, żadnej fantazji, żadnego koloru, polotu, tylko ce dur ce dur i składać jaja. Czym się przyszedłeś pochwalić? Czym, że człowiekowi jeden dzień urlopu potrafisz ześwierszczyć, że przez ciebie ani spać, ani czytać, ani wsi spokojna wsi wesoła? Nie opowiem o tobie. Nie opowiem, choćby nie wiem jak prosiła. W ciągu dnia świerszcze nie grają, wiem to i bez laptopa. W ciągu dnia nie zaświerszczysz. Choćbym nie wiem jak prosił.

Obudził go wiatr. Przyniósł chłód i zapach, którego nie umiał odgadnąć. Książka spadła mu z kolan dupowatym bohaterem na dół. Podniósł ją i zamknął bez zaznaczania strony, na której skończył.

Pomyślał, że wstanie wcześnie i wróci pierwszym autobusem, pierwszym niedzielnym powrotem. Spakował to, co zdążył wyjąć.

Wszedł do łóżka. Nie będę spał przez całą noc, pomyślał, przespałem dzień. Dzień z kąkolami, chabrami i bez laptopa. Było cicho. Nie spał całą noc. Słuchał.

212

Zawsze prosiła o pokój jednoosobowy. Zwykle nie trzeba było tego tłumaczyć, po prostu dostawała pokój dla jednej osoby, a jeśli trzeba było, tłumaczyła, że źle sypia, wstaje w nocy, wychodzi do łazienki, przygotowuje sobie herbatę, czyta. A następnego dnia lubi się zdrzemnąć po południu i potrzebuje ciszy.

Źle sypiała, wstawała w nocy, nastawiała wodę na herbatę i od razu sięgała po książkę lub gazetę, przyzwyczajona do tej ułomności organizmu, który, obudzony bez przyczyny, nie potrafił walczyć obróceniem się na drugi bok, myśleniem o czymś miłym, niemyśleniem o niczym. Nie myśl o niczym, mówią ci spryciarze, którym łatwo przychodzi zasnąć, a jeśli obudzą się w nocy, konstatują, że noc, obracają się na drugi bok i umieją nie myśleć o niczym. Być może w dzień też nie myślą o niczym. Czasem udawało się jej zasnąć po godzinie, ale skoro już wiedziała, że nie nastąpi to od razu, nie po obróceniu się na drugi bok i niemyśleniu, po co tracić czas, można napić się herbaty, sprawdzić, czy się przygotowało notatki do wykładu, przejrzeć raz jeszcze folder konferencji, zapisać mądrą myśl, która przyszła właśnie wtedy, gdy człowiek najbardziej życzył sobie nie myśleć o niczym. Wstawała, piła herbatę, przeglądała folder, czytała godzinę albo do rana. A po obiedzie z przyjemnością szukała chwili na krótką drzemkę. To nie jej nocne dziwactwa były przeszkodą. Przeszkodą mógłby się stać ktoś. Ktoś inny. No ale przecież od tego w hotelach są jedynki.

Ten ktoś inny może na przykład lubi się wysypiać i nie znosi, gdy go budzić, nie lubi ludzi, którzy nocą czytają, bo do czytania trzeba zapalić światło, dlatego prosiła o pokój jednoosobowy. Ten ktoś inny na pewno chrapie, myślała, jadąc windą na wyznaczone piętro, chrapie i zostawia włosy w umywalce, śpi przy otwartym oknie albo zamyka je jak najszczelniej, bo nienawidzi powietrza, myślała, sprawdzając numer pokoju na ciężkim drewnianym breloczku dopiętym do klucza lub na etui z kartą magnetyczną, wetkniętą w wycięte rożki jak zdjęcie w starym albumie. Ten drugi ktoś ma katar, chrząka, może pali i wychodzi co dziesięć minut lub, co gorsza, kombinuje, jak nie wychodzić, ten drugi ktoś na pewno chciałby rozmawiać, a pani skąd, a czy pani też, a ładnie tu, a ładna pogoda, a jak pani uważa, ten drugi ktoś wsadziłby sobie słuchawki w uszy tak głęboko, żeby dotykały mózgu, i każde najgłupsze pytanie trzeba by było wywrzaskiwać czy też machać rękami jak pawian i zadawać pytanie po raz drugi, kiedy już ten ktoś odklei muzykę od swojej kory mózgowej. I ten rytuał idiotycznego spojrzenia, proszęęęęę, i wyjmowanie z ucha plastikowego korka, lepkiego od woskowiny. Albo ten drugi ktoś miałby takie słuchawki, spod których dźwięki wymykałyby się na wszystkie strony, każda czynność w niechcianym rytmie, czy mogę prosić o przyciszenie muzyki, proszęęęęę, no ale od tego są właśnie jednoosobowe pokoje. Od unikania. Spotkamy się na konferencji, napijemy się kawy, porozmawiamy, ale nie muszę wiedzieć, jaki masz kolor piżamy i czy myjesz włosy rano, czy przed pójściem spać, nie muszę oglądać fotografii twojej rodziny ani słuchać o pięknych miejscach, do których powinnam pojechać na wakacje. A włos w umywalce będzie moim włosem.

Nikt się nie dziwił. Kiedyś może tak, w uzdrowiskach, na wczasach, obowiązkowy towarzysz podróży, pani Grażynka z przydziału, z metra cięta pani Bożenka, ale teraz już nie. Jeśli hotel był niewielki, dzwoniła lub pisała z wyprzedzeniem, bardzo uprzejmie proszę o pokój jednoosobowy, w końcu po iluś tam konferencjach okazuje się, że konferencje organizują sami znajomi z innych konferencji, sprawę można załatwić osobiście, znacznie prościej. Oczywiście, że przyjadę, tylko pamiętaj, pokój jednoosobowy, wiesz, jak źle sypiam, zwłaszcza jeśli przed snem zobaczę czyjś włos w umywalce. Ależ to żaden problem, mamy do wyboru do koloru dwójki, trójki, jedynki, tu są klucze, drugie piętro trzecie piętro, zaczarowana karta magnetyczna i proszę bardzo, już można narobić sobie miłego, niedomowego, dwudniowego bałaganu ubraniami rzuconymi na oparcia krzeseł i foteli, kosmetykami rozstawionymi w łazience bez żadnego porządku w hotelowej, chwilowej rzeczywistości, już można puścić muzykę na głos, bez pośrednictwa niehigienicznych słuchawek, można w środku nocy wstać i poczytać przy herbacie. I nikt nie stęka. I nie trzeba na niczyje pytania odpowiadać. I nikogo nie trzeba pytać o nic.

Niestety, powiedziała recepcjonistka, bardzo mi przykro, wszystkie jednoosobowe pokoje są już zajęte. Niestety. Zgadzam się z panią, organizatorzy powinni się skontaktować, niczego teraz już nie mogę zrobić. Miała białą, zapiętą pod szyję bluzkę z wczepioną w kieszonkę plakietką z imieniem Dominika, pani Dominiko, nie, niestety, niczego nie da się zrobić. Rozumiem panią, powiedziała Dominika, która w przepisowej bieli na górze i zapewne czerni na dole wykazała się ponaduniformowym humanizmem, rozumiem, ja też nie lubię spać w jednym pokoju z obcą osobą, nie lubię być z kimś, kogo nie znam, nawet za tą pracą nie przepadam, jeśli pani chciałaby wiedzieć, ciągłe wysłuchiwanie pretensji obcych, a człowiek nie może powiedzieć, co myśli naprawdę. Mówiła spokojnie, bez spięcia, organizatorzy niczego nam nie przekazali, zarezerwowali wyłącznie pokoje dwuosobowe, nie mam żadnej jedynki wolnej.

Ależ nie musi się pani tłumaczyć, pani Dominiko, rzeczywiście nie jest pani temu winna, przepraszam, zmęczyła mnie podróż, po prostu może ja gdzieś indziej. Jeśli pani koniecznie chce, powiedziała Dominika, ale jesteśmy na obrzeżach miasta, do centrum jest ponad dziesięć kilometrów, tam są dwa hotele, mogę zadzwonić i spytać, mogę zadzwonić po taksówkę, chyba że przyjechała pani samochodem, mogę pomóc wynieść bagaże, ale organizatorzy zaplanowali dla państwa kolację za czterdzieści minut. To może jednak.

Dobrze. Usłyszała swój głos i w niego nie uwierzyła. Dochodził z bliska, to było gdzieś przerażająco blisko, a jednak gdzieś indziej. Dobrze. W końcu to tylko dwie noce, ta dziewczyna z recepcji jeszcze ma w sobie resztki prawdy, mimo tej czerni i bieli, w której chodzić musi, dobrze, za czterdzieści minut kolacja, potem dwa piwa albo wino, żeby się zasnęło szybciej. Jakoś to będzie. Jakoś przejdzie. Cieszę się, powiedziała Dominika z recepcji, i dziękuję pani bardzo, następnym razem na pewno i gdyby pani czegokolwiek potrzebowała. Dobrze. Dobrze. A to karta do pani pokoju, proszę bardzo, numer dwieście dwanaście, drugie piętro, winda po lewej stronie, śniadanie od siódmej do dziesiątej trzydzieści, kierunkowy na recepcję zero. Dwieście dwanaście siódma dziesiąta trzydzieści zero. Zero. Dobrze. Drugie piętro dwieście dwanaście. Może tam jeszcze nikogo nie ma, może będzie czas na rozwieszenie ubrań na oparciach wszystkich krzeseł, na całej dostępnej powierzchni. Może zdąży zagarnąć, zawłaszczyć, uczesać się nad umywalką, otworzyć okna na oścież, żeby zrobiło się zimno, zamknąć okna, zatopić się w zaduchu, zakaszleć nieprawdziwym kaszlem, nabrudzić, zatrzasnąć się w łazience, zepsuć klamkę, przepraszam, ale klamka zepsuta, nie mogę wyjść, co tu zrobić ojejku.

Przeciągnęła kartę przez szczelinę czytnika, uchyliła drzwi i uderzył ją chłodny podmuch powietrza ze zbyt szeroko otwartych okien. Usłyszała szum wody w kranie i z niechętnym zdziwieniem odetchnęła perfumami ze znajomą nutą. Tak, dość podobne, trzeba przyznać, ale nie te same. Choć podobne, rzeczywiście podobne.

Kobieta, która wyszła z łazienki, nie wyglądała na zadowoloną. Dobry wieczór, powiedziała, od razu muszę panią przeprosić, raczej nie będę najlepszą współlokatorką. Nie było już pokoi jednoosobowych, a w ogóle nie umiem być z kimś w pokoju, no nie umiem. Mogłam pomyśleć o tym wcześniej, ale nie przyszło mi do głowy, zwykle nie ma z tym kłopotów, ja też nie pomyślałam, nic nie szkodzi, właśnie obawiam się, że szkodzi. Źle sypiam. Rozkładam wszędzie ubrania. Wolałabym być sama. Wolę być sama. Nadal bym wolała. Jeśli będzie coś nie tak, powiedzmy sobie od razu, szczerze, to tylko dwie noce, nic strasznego. Zapewne. Jestem Marysia.

Ma pani na imię Maria? Ja też mam na imię Maria, coś podobnego. Właściwie to mam na imię Marianna, ale wszyscy mówią do mnie Marysiu, przyzwyczaiłam się. Dobrze, może być Marysiu, ja wolę, żeby do mnie mówić Mario, zresztą jestem od pani starsza, to nawet pasuje, ale naprawdę, proszę mówić, jak pani chce, nie ma to dla mnie większego znaczenia, powiedziała Maria, co ja gadam, pomyślała, oczywiście, że ma, całe życie przywiązuję się do drobiazgów i wszyscy o tym wiedzą, a teraz przed obcą osobą kłamię, że jest inaczej. Które łóżko pani woli, pani Marysiu, spytała Maria, patrząc na łóżko stojące bliżej okna. W zasadzie to wszystko mi jedno, naprawdę, może być to bliżej drzwi, powiedziała Marysia, dlaczego ja kłamię, pomyślała, nie cierpię spać przy drzwiach, przecież wcale mi nie jest wszystko jedno, dobrze, jakoś to będzie, tylko dwie noce.

To nie jest moja walizka, powiedziała, wyjmując gruby notes w jasnofioletowej oprawie, przepraszam, chyba przez pomyłkę otwarłam pani walizkę. Zresztą proszę zobaczyć, jakie podobne. Nic nie szkodzi, powiedziała Marysia, kupiłam ten notes na dworcu, były tylko w takim kolorze, okropne, prawda. A walizki wszyscy mają teraz identyczne, małe i czarne, do bagażu podręcznego i na dwudniową konferencję. Kłopoty bywają na lotnisku, kiedy pasażerowie odbierają bagaż i wszyscy się rzucają na małe czarne walizki, nie wiadomo która czyja. Kiedyś sobie obiecywałam, że kupię jakąś oryginalną, wyróżniającą się, ale zawsze przypominam sobie w ostatniej chwili.

Tak, to prawda, stwierdziła Maria, ja też nie latam często. Lubię, ale nie miałam wielu okazji, przynajmniej nie samolotem. Uśmiechnęła się do siebie, do myśli, którą chciała zachować na wyłączność, ale myśl uciekła i nie wiadomo skąd wzięła się po drugiej stronie pokoju. Też się pani śni, że pani lata, spytała Marysia. Każdy lata we śnie, wzruszyła ramionami Maria. Tak, ale nie każdy na stojąco. Mnie się śni, że stoję na parapecie, zagarniam rękami powietrze pod pachy, zaczęła Marysia, ale Maria przerwała jej spojrzeniem, przepraszam, muszę się rozpakować, i zatrzasnęła za sobą drzwi do łazienki.

Położyła kosmetyczkę na zamkniętym sedesie, zapieczętowanym jeszcze białą taśmą. Wyjęła krem i postawiła go na szklanej półce pod lustrem, obok takiego samego kremu. Wyjęła pastę do zębów i położyła ją obok drugiej pasty do zębów, napoczętej już, lecz takiej samej. Przyjrzała się szczoteczce do zębów, tuszowi do rzęs, wzięła do ręki granatową puderniczkę, zważyła ją przez chwilę we wnętrzu niezaskoczonej dłoni, zerknęła do środka. Postanowiła nie wyjmować pozostałych kosmetyków. Śmieszne, pomyślała, śmieszne, zbiegi okoliczności jeden na drugim jak oczka w swetrze.

Śmieszne, déjà vu w środku déjà vu. I te perfumy, bardzo podobny zapach.

Trudno się dziwić, wszystko jest takie uśrednione jak klasa średnia, udajemy naukowców, jeździmy na konferencje w najlepszych butach i z najlepszymi perfumami, a na co dzień mamy średnie perfumy dla średniaków. Pasta do zębów ze sklepu sieciowego. Mydło, pasta do zębów, wszystko średnie. Człowiek jest taki średni. Pewien swojej wyjątkowości, a wszyscy wszystko o nim wiedzą, każdy taki sam. I te perfumy, naprawdę podobny zapach.

Chyba nie pójdę na kolację, pomyślała. Boli mnie głowa. Tak, powiem, że boli mnie głowa i że nie jestem głodna, tak będzie najlepiej, zostanę i zdrzemnę się. Idzie pani na kolację, pani Marysiu, spytała, zadowolona ze swojego pomysłu. Chyba zostanę, powiedziała cicho Marysia, wyjmując ubrania z walizki. Zdjęła narzutę, która jak stare zwierzę leżała zmięta na podłodze. Też się brzydzi hotelowych narzut, śliskiego brązu, trędowatej faktury, też uważa, że nikt ich nigdy nie pierze i nie wietrzy, nie położyłaby się na czymś takim za żadne skarby świata. Marysia przewiesiła sukienkę przez oparcie fotela i ubrała krzesło w swój żakiet. Chyba zostanę, nie jestem głodna i boli mnie głowa. Lepiej zostanę i się zdrzemnę, może przyjdę później, na pewno, impreza zacznie się dopiero po dziewiątej, jak zwykle. Zejdę i napijemy się jakiegoś wina, dobrze, jeśli pani zechce oczywiście. Proszę się na mnie nie gniewać, wolę teraz odpocząć. Ależ skąd, wcale się nie gniewam, doskonale panią rozumiem, naprawdę, powiedziała Maria, wkładając buty.

Czy mogę się przysiąść, spytał głos zza jej ramienia. Po ciepłej kolacji i filiżance mocnej herbaty Maria poczuła się pewniej. Przy czteroosobowych stolikach pojawiało się coraz więcej osób, miło było pozdrawiać się niezobowiązującym skinieniem głowy, czekać na znajome twarze z różnych stron, dopytywać, co u nich, o czym będzie wykład na konferencji, miło było swój własny niepokój, prywatny jak ból zęba, wmieszać w stabilność świata, który się zna, do którego się należy, po którym można poruszać się bezpiecznie jak po własnej bibliotece. Roztopiła się w poczuciu bycia wybraną wśród wybranych, mądrą między mądrymi, autorytetem autorytetów. Po kolacji wszyscy przeszli do sąsiedniej sali, wśród przytłumionego światła, wygodnych sof i foteli zaczęły krążyć kieliszki z winem i brzuchate koniakówki ze spokojną, bursztynową taflą, mądre słowa i wyrafinowane żarty, serdeczno-naukowe ależ znakomicie wyglądasz czy chciałabyś wydrukować u nas swój artykuł, oczywiście tłumaczeniem na niemiecki francuski zajmiemy się sami; Maria zamówiła drugi kieliszek, ktoś spytał, czy jest w planach wydanie tomu pokonferencyjnego i czy będą tańce i w tej chwili Maria usłyszała zza swego ramienia głos, czy mogę się przysiąść. Marianna miała na sobie ciemną sukienkę, może czarną, a może tylko ciemnogranatową. W ręce trzymała kieliszek czerwonego wina. Wolę porto, powiedziała z uśmiechem, jesienią porto jest najlepsze, ale tu nie mają porto. Ktoś ją poznał i chciał przedstawić Marii, ale Marianna powiedziała szybko, że to zbędne, bo już się znają. Ktoś jej nie znał i poprosił Marię, by go przedstawiła, ale Maria wykręciła się, mówiąc, że tak dobrze się jeszcze nie znają, ktoś przedstawił się sam i kiedy Marianna zaczęła odpowiadać na standardowe pytania, gdzie pracuje, czym się zajmuje najczęściej, Maria przeprosiła zebranych, podeszła do baru i długo wybierała wino. Kelner chciał jej pomóc i zanieść butelkę do stolika, ale poprosiła tylko o jej otwarcie. Ktoś dawno znany i niedawno przedstawiony zaproponował, by rozmowy o pracy zawodowej odłożyć na jutro, a dziś jeszcze spróbować pogadać dla samego gadania i picia. Do wyciągniętych ponad stołem kieliszków Maria rozlała wino. Odruchowo sięgnęła po duży czarny portfel, leżący na stole, i chciała go schować do torebki, portfel sprezentowany przez męża na ostatnie imieniny, lecz Marianna położyła rękę na jej ręce, to chyba mój portfel, powiedziała. Przepraszam, pani Marianno, Marysiu, proszę do mnie mówić Marysiu, dostałam od męża na imieniny, powiedziała, dostałam od męża na imieniny, pomyślała Maria i jej myśl zbiegła się ze słowami Marysi, urosła na nich i Maria poczuła, jakby ktoś zaczął na głos czytać książkę, którą ona trzyma w ręce, zerkając jej przez ramię; przestraszyła się swojej myśli, tej i kolejnej, tej, że boi się pomyśleć, żeby znowu nie usłyszeć własnych słów na zewnątrz, żeby nie narazić się na symultaniczne tłumaczenie z języka myślowego na język mówiony, dictum factum.

O proszę, w środku jest moja karta do bankomatu. I karta biblioteczna. Raz jeszcze przepraszam, to nie mój portfel, nie rozumiem, jak mogłam się pomylić. Nic się nie stało, powiedziała Marysia, zaraz go schowam do torebki, tylko do której. Rzeczywiście, stwierdziła Maria, są identyczne; nie, jednak nie, upierała się Marysia, jeszcze jedno wino poproszę, dla mnie i dla pani, niezupełnie, moja ma metalowy znaczek z przodu. A moja ma logo firmy naszyte na kieszonce wewnątrz, proszę zobaczyć, ale z zewnątrz są identyczne, to prawda, identyczne.

Maria upiła kolejny łyk wina i usłyszała samą siebie, a może tylko słowa, które tamta czytała w jej głowie, może palimpsesty w księgach, które zapisujemy, albo tak nam się wydaje, wie pani, to jest dla mnie nieco krępujące, to dobre określenie, krępujące. Wstrzymała się, jakby czekała na akceptację tego słowa i swojego właśnie nazwanego stanu. Krępujące. I nie chodzi tylko o konieczność spędzenia dwóch nocy we wspólnym hotelowym pokoju, naprawdę, nie o to, proszę mi wierzyć. Jasne, że nie o to, przecież świetnie widzę, powiedziała Marysia tonem nieco urażonym, jakby dotknięta tym, że Maria chce jej tłumaczyć oczywistości, które już dawno odnajduje w swojej głowie pod postacią słów czytanych na głos przez kogoś innego. Przecież widzę te prawie identyczne buty, torebki, imiona, czuję te perfumy, nie mogę nie czuć. Proszę, mówmy sobie po imieniu, będzie mi łatwiej, chociaż jest mi trudno i trudniej, pani jest ode mnie starsza i to pani powinna zaproponować, żebyśmy przeszły na ty, proszę nie myśleć, że jestem niegrzeczna, mogłabym poczekać, ale przecież widzę to wszystko i już wiem, co powinnyśmy zrobić. Możemy zrobić tylko jedną rzecz. Bardzo proszę, powiedziała Maria, mówmy sobie na ty, zamówię jeszcze po kieliszku wina, tylko niech mi pani już powie. Powiedz mi. Tak, powiedz mi, proszę, powiedz, co mamy zrobić. Śmiejmy się. Śmiejmy się z tego.

Możemy się tylko śmiać, powiedziała poważnie Marianna. Nic innego. Zresztą to jest śmieszne, pomyśl, człowiek sobie wyobraża, że taki jest niepowtarzalny, wyjątkowy, a tymczasem wyobraź sobie, ilu mężczyzn nie znajduje lepszego pomysłu i kupuje żonie na imieniny portfel. Rzesze. Tysiące. Ile kobiet kupiło taką torebkę? Przecież firma nie zrobiła jednej ani dwóch. To nie jest powód do smutku. Pobawmy się w to. Wiesz, ile jest na świecie takich par butów, ile takich portfeli, ilu mężów bez pomysłu. Wszyscy mężowie świata kupują żonom portfele na imieniny. Maria uśmiechnęła się, ale pokręciła głową, nie tylko o to chodzi. Patrzę na ciebie i myślę to, co mówisz. Widzę, jak poprawiasz włosy, jak pijesz wino, jak podnosisz zdumione brwi; zaraz przypominam sobie, że od tego robią mi się zmarszczki na czole. Jakbym siedziała na wprost lustra. To jest trudne, rozmawiać z lustrem, zwłaszcza gdy się myśli, że ono myśli to, co ty. Chyba trochę przesadzam, pomyślała.

Nie przesadzaj, powiedziała Marysia, przecież nie jesteśmy identyczne. Mam zupełnie inny gatunek włosów, moje są cienkie i w ogóle nie chcą się układać, zobacz, chyba zetnę je bardzo krótko, jak uważasz? Jestem wyższa. I więcej już wypiłam. Pobawmy się tym, to jedyna możliwość. Znajdź dziesięć szczegółów, którymi różnią się te dwa rysunki. Lubisz, no nie wiem, opery Pendereckiego? Maria zaśmiała się. Lubisz kminek? Nie lubię. A muzykę klasyczną? Lubię, poza operami Pendereckiego. No widzisz, a ja w ogóle nie lubię, ani Pendereckiego, ani żadnego innego. Pendereckiego nikt nie lubi przecież. Lubię rośliny, ale na wiele z nich jestem uczulona. A ja nie jestem na nic uczulona, tylko na kocią sierść. A ja mam dwa koty. Wszyscy są jakoś podobni do siebie, każdy do każdego. I każdy inny. To tylko przypadek, naprawdę, nie lustro. Zresztą ja wolę białe wino. A ja czerwone, bardzo rzadko pijam białe. To naprawdę może być śmieszne, pomyślała Maria, powiedziała

Marianna. Albo odwrotnie. Śmiejmy się z tego. Śmiejmy się, powiedziała Maria, tak będzie najlepiej. Twój ulubiony kolor? Turkusowy, powiedziała, pomyślała. Ulubiony owoc? Maliny, pomyślała, powiedziała. Smak lodów? Pistacjowe, oczywiście, że pistacjowe, powiedziały. To tylko gra, pomyślała Marianna, to jest nawet zabawne, siedzieć przed człowiekiem jak przed lustrem, pić wino i szukać podobieństw. Czego nie lubisz jeść? Oprócz kminku? Oprócz kminku i oper Pendereckiego? Wątróbki. I kalafiora. Oczywiście, kalafior, zapomniałam, kalafior jest obrzydliwy, śmierdzi. Pewnie, że śmierdzi. A nikt mi nie wierzy, że śmierdzi. Co chciałabyś robić, gdybyś potrafiła wszystko? Śpiewać. Chciałabym śpiewać. Bardzo źle śpiewam i zazdroszczę tym, którzy umieją. Jeździsz na nartach? Kiedyś jeździłam, ale już nie mogę, miałam kłopoty z kolanem, torebka stawowa, powiedziała Marysia i Maria przypomniała sobie ból, strzykawkę pełną krwi i swędzenie skóry pod gipsem. Która noga? Prawa, ale to było dawno, byłam na drugim roku studiów. Też miałam podobny problem, ale byłam chyba na trzecim roku, no coś podobnego, prawe kolano, któż by się tego mógł spodziewać, zaśmiała się Marysia. Dla mnie to było jeszcze dawniej, przecież jesteś ode mnie dużo młodsza. Chyba nie aż tak dużo, powiedziała Marysia, poproszę kelnera, żeby nam przyniósł jeszcze po jednym kieliszku wina, dobrze? Poczekaj, kiedy się urodziłaś? Dziesiątego marca.

Dziesiątego marca? Tak. Przepraszam, Maria gwałtownie poderwała się z sofy, nie umiem się w to bawić. Pójdę się położyć. Dobranoc.

Włożyła kartę magnetyczną w plastikową kieszeń na ścianie, zapaliło się światło pozostawione w łazience. Gdy wychodziła wieczorem z hotelowych pokojów, zawsze zostawiała w łazience zapalone światło, lepiej się jej wracało, teraz jednak zadała sobie pytanie, która z nich nie zgasiła światła i czy przypadkiem, czy celowo. Żeby się lepiej wracało. Która z nich. Która z nas. Siadła przy stole i poczuła, że chce się jej płakać. Chyba. Wcale nie jest tego pewna. I tak naprawdę nie powinna. Zsunęła buty i poruszyła palcami stóp, zdrętwiałymi nieco od zbyt długiego przebywania we wspólnej ciasnej przestrzeni. Człowiek jest trudny. Inny człowiek jest trudny. A taki sam człowiek jest jeszcze trudniejszy. Można się tylko śmiać, rzeczywiście. Żadna z nich, żadna z nas nie jest niczemu winna. Przypadek. Przypadek w przypadku. Następnym razem trzeba będzie dokładnie przejrzeć program konferencji, zanim. Jeśli w ogóle. Ale nic się przecież nie stało. Zejdę do restauracji, pomyślała Maria, narzucając swoim stopom powtórną niewolę czarnych czółenek, zejdę, bo tamta się obrazi, a po co mi to, jest miła i w gruncie rzeczy bardzo się stara, nie mogę mieć do niej pretensji. Zejdę do restauracji, zamówię jeszcze jedną butelkę wina i jakoś się to wyjaśni. Tak trzeba.

Maria podeszła do drzwi i w tej samej chwili Marianna otworzyła je z zewnątrz. W jednej ręce trzymała odkorkowaną butelkę czerwonego wina, w drugiej – czarne czółenka. Zdjęłam je w windzie, zaśmiała się, już mam na dzisiaj dość chodzenia w butach, a na dodatek okropnie się upiłam, nawet nie wiem kiedy, dotarło to do mnie, gdy się podniosłam. Napijmy się, proszę, nie gniewaj się na mnie. Gniewać się, ależ skąd, wzruszyła ramionami Maria, nie umiem sobie z tym poradzić i tyle, ale to moja sprawa, niczego złego nie zrobiłaś. Śmiejmy się z tego, proszę, i wypijmy, bo zwariujemy, pomyśl, jak to dobrze, że się spotkałyśmy, w razie czego dobrze wiedzieć, ja mam bardzo rzadką grupę krwi. Wiem, powiedziała Maria, B Rh−, jeśli jedna butelka nie wystarczy, zawsze możemy zadzwonić, żeby przynieśli nam drugą.

Dobrze, pomyślała Maria, dobrze, powiedziała. Skoro i tak wiesz, co myślę, bzdurą jest kłamać. Niewygodną bzdurą, co ciśnie jak nowe buty. Miałaś rację, śmiejmy się z tego. Masz przy sobie zdjęcia z dzieciństwa? Oczywiście. Marianna oparła się o stół, postawiła na nim butelkę. Zdjęcia z dzieciństwa, mleczne zęby, świadectwa szczepień, odpis aktu chrztu, indeks, zawsze noszę przy sobie, na wszelki wypadek, gdybym spotkała kogoś takiego samego. A gdzie studiowałaś? Zdążył cię jeszcze na egzaminie oblać ten stary grubas, ten od statystyki? Jak on się nazywał, taki wielki i spocony, śmiała się Marianna, nawet w zimie od niego śmierdziało. Wszystkie nas oblał, wszystkie dziewczyny, chłopaków nie. Właśnie, zawsze tak robił, zawsze, oblewał dziewczyny, cholerny stary kawaler, miał takie przezroczyste, obłe palce, jak stado grubych owsików, umarł, jak kończyłam czwarty rok. Wypijmy za niego. Dobrze, za niego pewnie nikt nie pije.

Maria odwróciła postawione na talerzykach do góry dnem dwie hotelowe białe filiżanki. Chyba że wolisz ze szkła, w łazience są szklanki do płukania zębów. Nie, śmiała się Marysia, chcę z filiżanki, ze zwykłej, białej, niczym niewyróżniającej się filiżanki, ale ty nalej, bo ja nie trafię. Imię matki? Jadwiga! krzyknęły, stukając się filiżankami. Imię ojca? Marek! Maciej! Bardzo podobnie. W liceum kochałam się w takim chłopaku, powiedziała Maria, miał na imię Krzysiek, jeździliśmy razem na wycieczki rowerowe. Mój też miał na imię Krzysiek, ale się wspinał, wspinaliśmy się razem po skałach. Kilka lat temu był zjazd absolwentów, tak się ucieszyłam na jego widok, rzuciłam się na niego, na tego Krzyśka, a on nic. Nie odzywa się do mnie. Przez tyle lat jest obrażony, że go wtedy zostawiłam. A on dla mnie wiersze pisał. Potem się kochałam w takim, co grał na perkusji. A ja się kochałam w Robercie, powiedziała Maria, co grał na gitarze. Patrzył mi w oczy i grał, a ja myślałam, że to tylko dla mnie. A okazało się, że wszystkim dziewczynom patrzył tak w oczy i grał, i każda myślała, że to tylko dla niej.

Ale najgorsza była Moniczka. Jasne, Moniczki największe france. Perkusiści są wierniejsi, mniej patrzą w oczy. Wyszłaś za tego perkusistę? Nie, no skąd, za perkusistę. W życiu. Rzucił mnie dla Moniczki. Przyjaciółki, żeby mnie pocieszyć, przyprowadziły na imprezę wszystkich swoich braci i kuzynów. No i jeden dobrze tańczył. A potem też dobrze całował. Masz szczęście, mój mąż w ogóle nie umie tańczyć, ale też się poznaliśmy na imprezie. Odprowadził mnie rano do tramwaju, dałam mu swój numer telefonu i zadzwonił następnego dnia, a ja nie wiedziałam, z kim rozmawiam, bo nie spytałam go na tej imprezie, jak ma na imię. A jak ma na imię? Kto, mój mąż? No przecież wiesz. Wiem, pokiwała głową Marianna, wiem. Nie powinnam już pić, jutro mam referat chyba o jedenastej. Nie, ja mam o jedenastej. W porządku, skoro ty masz o jedenastej, to się napijmy. I tak się nie domyślam, o czym ten referat będzie.

Możesz uchylić okno, poprosiła Maria, ja już chyba nie dam rady się podnieść. A przynajmniej boję się spróbować. Marianna wstała, ale zachwiała się i dziwnym, nieskoordynowanym ruchem próbowała złapać się stołu. Dam radę, spokojnie, dam radę, ale za chwileczkę. Aczkolwiek nie wiem, czy dam radę jutro z tym referatem. I pomyśleć, że ten sam spasiony mizogin z przezroczystymi paluchami zdążył cię jeszcze oblać ze statystyki. Nie mnie jedną zdążył. Wiem. To wszystko jest statystycznie niemożliwe, niemożliwe, powiedziała głośno, wciągając łapczywie do ust chłodne nocne powietrze, które wtargnęło przez uchylone okno do nagrzanego ich śmiechem pokoju. Nie znam się na statystyce, powiedziała Marianna, odklejając z twarzy wzdętą firankę, przecież ci mówiłam, że dostałam pałę, miałam poprawkę po wakacjach. Ja też. Ja też się nie znam.

Ile ty właściwie masz lat, spytała Maria. Jeśli zdążyłaś jeszcze mieć przyjemność z tym oblechem od statystyki, a on umarł jakoś, nie pamiętam dokładnie. Czytałam w gazecie. Czterdzieści jeden, odpowiedziała Marianna, a ty ile, czterdzieści dziewięć? Pięćdziesiąt? Pięćdziesiąt trzy, wyznała Maria, i dawno już tyle nie wypiłam. Pięćdziesiąt trzy? Naprawdę? Nie widać. Tak się mówi. Tak się mówi, jak nie widać.

Mąż jest od ciebie cztery lata starszy, prawda? Tak, o cztery lata. Chcemy jechać do Portugalii na osiemnastą rocznicę ślubu. Pojedziecie w przyszłym roku, na osiemnastą rocznicę się nie uda, za duży wydatek. Tak, skąd wiesz? Dobra, przepraszam, czyli nie rezerwować wcześniej lotu? Nie ma potrzeby.

Czy z dorastającymi córkami zawsze są takie problemy? Nie wiem, czy zawsze, ja miałam. Nie mówiła, dokąd wychodzi i o której wróci, a nawet jeśli powiedziała, to nie wracała o tej godzinie, na którą się z nami umówiła, przyprowadzała coraz dziwniej ubranych chłopaków, słuchała coraz dziwniejszej muzyki, z trudem zdała maturę, a potem nagle wszystko się odwróciło;

tak się upierała, żeby się wyprowadzić, że się zgodziliśmy. Zaczęła pracować i zarabiać na siebie, równocześnie studiowała i nie zawaliła ani jednego egzaminu, co prawda czasy się zmieniły i nie musiała zdawać statystyki. Pracowała rok w Polsce, teraz jest w Szwajcarii i chyba już tam zostanie, zarabia bardzo dobrze, poznała fajnego faceta i pewnie za niego wyjdzie. Moja córka, Marianna rozparła się w fotelu i zdjęła z palca srebrny, masywny pierścionek, moja córka, oczywiście wiesz, jak ma na imię, próbuje nas od jakiegoś roku przekonać, że nie trzeba się uczyć i że można spokojnie obyć się bez snu i bez jedzenia przez dwie doby. Jeszcze jej nie wyperswadowaliśmy kolczyka w nosie, a już zaczyna przebąkiwać coś o tatuażu. Powiedzieliśmy, że jak będzie dorosła, to proszę bardzo. Zrobi tatuaż zaraz po osiemnastych urodzinach. Tak? Gdzie? Nie powiem ci, będziesz miała niespodziankę. Nie martw się, wszystko jej przejdzie. Łatwo ci mówić. Tak, teraz łatwo. Zobaczysz. Jaka ta pannica potrafi być czasami nieznośna, mówię ci, dobrze, że mam jeszcze syna, jest w piątej klasie i na razie się uczy, odpukać, chodzi na kółko szachowe i na angielski, chociaż też jest pyskaty i nie wiem, co to będzie, jak zacznie dorastać. Bardzo ładnie pływa, mają dwa razy w tygodniu basen, znakomicie sobie radzi. Z matematyki też jest niezły, ale lektur mu się nie chce czytać, kupujemy audiobooki, to nawet dość chętnie słucha. Mój syn nie żyje, powiedziała Maria. Pływał świetnie, był ratownikiem, pojechali z kolegami nad jezioro, wskoczył do wody, żeby uratować życie tonącemu, i uratował, a sam się utopił. Miał dziewiętnaście lat. Nie żyje.

Chyba powinnam się położyć, powiedziała Marianna powoli, patrząc Marii w oczy, źle się czuję. Miał dziewiętnaście lat, zdał maturę, dostał się na chemię. Przepraszam, muszę się położyć, powiedziała Marianna, podnosząc się z fotela. Jego dziewczyna stała na brzegu, patrzyła i krzyczała, bo nie rozumiała, co się dzieje, patrzyła, jak on się topi. Wołała o pomoc, jacyś ludzie przybiegli. Przepraszam, już nie mogę, Marianna poderwała się gwałtownie, zrobiła trzy chwiejne kroki w stronę łazienki i zatrzasnęła za sobą drzwi.

Już nie chcesz tego słuchać, spytała Maria, poczułaś się źle, dlaczego nie chcesz się dowiedzieć, to jest dla mnie ważne. Nie mogę, głos z łazienki był stłumiony, nie potrafię, nie opowiadaj mi tego. A może ja chcę ci opowiedzieć, jesteś taka do mnie podobna, taka stałaś mi się bliska, taka chcesz mi być bliska, dlaczego nie mam ci opowiedzieć. Śmieją się ci, którzy mają z czego. Przejrzyj się w lustrze. Nie chcę, powiedziała Marianna, to tylko jakaś historia, opowieść czyjaś. I tak się przejrzysz. Wiem, Maria usłyszała wyraźne, wolno wypowiadane słowa, już się przejrzałam.

Maria zmarzła w nocy; próbowała domknąć uchylone okno, ale nie udało jej się to do końca. Wstała przed czwartą, zrobiła sobie herbatę w pachnącej winem filiżance, przykryła się kołdrą i brązową narzutą, której nikt nigdy nie pierze ani nie wietrzy. Zaświeciła lampkę nocną i czytała. Próbując podliczyć ilość wypitego alkoholu, dziwiła się, że nie boli jej głowa. Być może jeszcze jestem pijana, być może ciągle będę, pomyślała. Zasnęła nad ranem i obudziła się tuż przed dziewiątą. Przypomniała sobie, że o jedenastej ma referat, że przydałoby się umyć włosy i napić mocnej kawy, śniadanie siódma do dziesiątej trzydzieści. Nie trzeba się śpieszyć.

Przyjrzała się dwóm kostkom białego mydła, dwóm odpakowanym kostkom, leżącym na brzegu umywalki, zupełnie niepodobnym do siebie. Ubrała się powoli i wyszła, zostawiwszy zapalone światło w łazience pustego hotelowego pokoju. Żeby się jej lepiej wracało.

Daleko

dla mojego Taty

– A ty czemu nie chcesz z nim mieszkać? – spytał mój mąż.

Mama, wciśnięta na tylnym siedzeniu między dwóch niestetyrosnących, prychnęła. Umiała bowiem prychnąć i żachnąć się, i inne takie literackie czasowniki umiała ciałem oddać jak nikt. Prychnęła i przyciągnęła pas, który podtrzymywała ręką, bez zapinania. Nigdy się nie zapinała. Żadną miarą nie można jej było do tego namówić, podobnie jak do mieszkania z nim. Nie wiem, dlaczego w ogóle mój mąż spytał.

– Z nim? Na wsi? A po co? Pomidory mogę sobie kupić w sklepie, kwiatki na balkonie posadziłam. Nie mam siły na takie zabawy.

– Myślałem, że człowiek jakoś tęskni... no wiesz, natura, ekologia, te sprawy...

– Natura, ekologia, te sprawy, a ja lubię chodzić do teatru, do kina, na koncerty. Myślisz, że by mnie zawiózł na koncert? Pytałam, to powiedział, że sobie mogę żab w stawie posłuchać. Albo radio włączyć.

– A świeże powietrze? – wtrącił się jeden z niestety-rosnących, ten bardziej przemądrzały.

– Właśnie, babciu, świeże powietrze! – podchwycił ten drugi, bardziej przymilny. – Byłabyś zdrowa!

– Całe życie mieszkałam w mieście, w smrodzie i smogu, to mnie świeże powietrze nagle nie uzdrowi. Wielki mi zresztą kurort, kawałek od miasta. Mogę czasami przyjechać, ale mieszkać tam nie będę. Harcerstwo już mam za sobą.

Mój mąż westchnął i skoncentrował całą siłę woli na wejściu w zakręt.

– Babciu, a czy dziadek już kupił traktor? Bo obiecał, że mi kupi traktor, żebym mógł mu pomagać – powiedział przymilny.

– Jeszcze nie kupił, ale jeśli obiecał... – zaczęłam, ale mama pośpieszyła z wyjaśnieniem.

– Traktor tam jest niepotrzebny. Do czego ten traktor, do koszenia? Kosiarką w pół godziny się wszystko załatwi. Może konia jeszcze?

– Ja chciałbym konia!

– Ja też chciałbym konia!

– Babciu, kupimy dziadkowi konia na urodziny?

– Cisza z tyłu! – Mój mąż zwolnił i odwrócił się, groźnie spojrzał na rosnących, przymilnych i przemądrzałych krzykaczy. – Muszę pomyśleć. Nie pamiętam, gdzie się wjeżdża.

– Trzeba zawrócić – powiedziała moja mama spokojnie. – W prawo. Przejechaliśmy.

– To czemu nie mówiłaś?

– Przecież mówię. Przejechaliśmy.

Ojciec stał na ganku. A właściwie na tej części domu, która w przyszłości miała zostać gankiem, ponieważ była tylko przygotowana do bycia gankiem. Ojciec też był przygotowany do bycia ojcem; przed domem, pod orzechem, rozstawił stół i krzesła, każde inne, ale stały stabilnie. Chłopcy rzucili się na dziadka, który udawał, że łatwo mu podźwignąć ich obu, niestetyrosnących, niestetyzbytszybko, razem już jakieś siedemdziesiąt kilogramów. Mama odrzuciła nieużyteczny pas, wysiadła z samochodu, wyjęła z bagażnika kosz i dwie torby i zaczęła rozkładać na stole zawartość miejskich sklepów, zakupioną, przetransformowaną i przywiezioną na wieś. Wyjęła ciasto i sałatkę. Mój mąż obchodził dom, podziwiając zachodnią wschodnią południową elewację i ganek, przygotowany do bycia gankiem. Mama wyjęła bochenek chleba, pomidory i dwie paczki kiełbasy. Dzieci znalazły oparte o drzwi grabie i zaczęły grabić wokół zachodniej wschodniej południowej elewacji.

Mama wyjęła ogromne naczynie, do którego szklanych ścianek od środka tuliła się gęś czy kaczka, a właściwie to, co wcześniej było gęsią lub kaczką, a zostało posiłkiem. Dzieci znalazły małą czerwoną miskę i pobiegły nad staw przeszkadzać żabom, wylegującym się w trawie i na kamieniach, i zmuszać je do mistrzowskich skoków w toń. Mama wyjęła dwie butelki wody mineralnej. Ojciec pokazał już mojemu mężowi wszystkie elewacje, podszedł do mnie i przystawił do mojej twarzy nieogolony policzek. Pachniał skoszoną trawą. Mama wyjęła wino. Za naszym samochodem zatrzymał się drugi, z którego wysiadł mój brat, wyskoczył jego starszy syn, a za nimi wyturlała się żona mojego brata ze swoim ośmiomiesięcznym brzuchem, przygotowanym do bycia człowiekiem, choć jeszcze nieprzygotowanym do narodzin. Mama wyjęła paczkę gum do żucia i pudełko ciasteczek dla dzieci. Każdy z nas był jakoś tam nieprzygotowany. Ona nie. Ona umiała się przygotować na wszystko.

– Po co przywiozłaś tyle jedzenia? – spytał ojciec. – Przecież ja tu mam jedzenie. Zrobimy sobie grilla. Albo ognisko.

– A co masz na grilla albo ognisko? – odparowała mama, wyjmując ciasto.

– Miałem jechać do sklepu po coś właśnie... Przecież chyba jeszcze nie jesteście głodni.

– Ja nie jestem. Ale dzieci – nie wiem. Dzieci! Chcecie coś zjeść?!

Dzieci wypadły zza domu, zarumienione, zziajane, w mokrych trampkach. Najmłodszy, przemądrzały, choć też niestetyrosnący (nietraktujmniejakdzidziusia), trzymał przed sobą złożone ręce, spomiędzy których wystawał zielony żabi pyszczek o przerażonych oczach, błagających o bezpieczną głębię stawu.

– Nie jesteśmy głodni!

– Malin sobie narwiemy, dobrze?

– Dziadku, możemy sobie narwać malin?

Ojciec kupił ziemię, gdy byliśmy jeszcze na studiach, to znaczy gdy mój brat zaczynał rysować w pamięci mapę krakowskich knajp, a moja mapa krakowskich knajp powoli zacierała się pod mapą dróg do Jagiellonki, gdzie ślęczałam nad byciem magistrem. Ojciec kupił ziemię i nie powiedział nic nikomu. Znikał w piątkowe popołudnia i pojawiał się niedzielnymi wieczorami, ale wszyscy tak znikaliśmy i tak się pojawialiśmy, nikt się przed nikim nie tłumaczył. Mama zdziwiła się tylko, gdy pod nieobecność taty przyszedł pan z dużą paczką i kazał jej pokwitować odbiór wierteł do betonu różnej grubości, linki do kosiarki, kleju do drewna oraz wielu innych rzeczy, które dopiero później stały się „do", gdyż mama pierwotnie nie znała ich przeznaczenia i wzbraniała się przed złożeniem podpisu na pokwitowaniu, twierdząc, że nie zamierza się nigdzie włamywać, a i ze sklejaniem trumny poczeka, więc na cóż jej taki ekwipunek. Gdy ojciec wrócił, siedzieliśmy wszyscy przy stole kuchennym nad wiertłami, klejami i lutownicami. Wtedy już musiał powiedzieć. Rozłożył przed nami stertę rysunków, szkiców, obliczeń, pokazywał nam zdjęcia klombów z kwiatami i grządek z rzodkiewką, tłumaczył budowę szklarni, studni i wahadła, konieczność posiadania kosiarki, glebogryzarki, kompostownika i szamba. Przy szambie mój brat powiedział, że ekosreko, i otworzył sobie piwo. Mama poszła nieekologicznie pozmywać naczynia, pławiąc sztućce w nadmiarze białej piany. Ojciec zjadł jabłko z ogryzkiem. A ja powiedziałam, że muszę się uczyć. Nie wierzyliśmy w niego. Nie wierzyliśmy w kompostownik, szklarnię i inspekty warzywne.

– Dzieci! Obiad! Umyjcie ręce! – zawołała moja mama, krojąc pomidory w powietrzu szwajcarskim scyzorykiem. – Nie masz normalnego noża? Mogłeś powiedzieć, przywiozłabym.

– Tym nożem da się cały dom zbudować, nie tylko pomidora pokroić. – Ojciec oglądał kiełbasy, które purpurowiały na patykach fachowo wbitych wokół ogniska. Mój brat zasiadł i siedział. Patrzył w górę, na drzewo, zapewne czekając, aż przygotowana do zjedzenia gruszka spadnie mu na kolana.

– Jest musztarda?

– Nie ma musztardy. Musztarda jest niezdrowa. Pomidora sobie rozgnieć, będziesz miał keczup.

– Bardzo śmieszne – stwierdził mój brat, przymykając oczy. – Ja po prostu lubię kiełbasę z musztardą. Ty też lubiłeś. Ile żarłeś dawniej musztardy...

– Dziadku! A ja chcę z keczupem!

– Dziadku, a ja się chcę wysikać.

– To idźcie się wysikać, przecież nikt wam nie broni.

– Ale gdzie tu się można wysikać? Ja nie widziałem toalety.

Żona mojego brata oraz prawie przygotowany brzuch wyłonili się zza domu z dużym, dorodnym kozakiem w dłoni.

– Jaki grzyb! No i widzicie, gdzie macie w mieście takie grzyby? Poszła i od razu znalazła kozaka. Tam przy brzózkach, prawda?

– Przy brzózkach. Ja, szczerze mówiąc, też muszę skorzystać z toalety.

– Kłopot w tym – powiedział mój ojciec, przysiadając na trawie i wyciągając przed siebie nogi – kłopot w tym, moje drogie mieszczuchy, że tu nie ma toalety. Jest wychodek. Musicie iść do wychodka. Bardzo piękny wychodek, sam zrobiłem. – I zaśmiał się szeroko, rubasznie, na całą wieś, jakby nam zrobił najprostszy, dziecinnie prosty figiel, kawał, na który daliśmy się nabrać.

– A gdzie jest ten wychodek, dziadku?

– Ten drewniany domek z tyłu? To myśmy się tam bawili w chowanego!

– Ale się wystraszyłeś muchy i uciekłeś!!!

– Muchy się wystraszył! Muchy!

– To drewniane to jest wychodek, dziadku? Tam się sika?

– I sika, i robi kupę – ojciec był poważny jak na wykładzie. – To jest ekologia, rozumiecie? Ekologia. Życie w zgodzie z naturą.

– Sranie w zgodzie z naturą, sranie w banię – obudził się mój brat i pogłaskał wielki brzuch, który władował mu się na kolana.

– Sranie też w zgodzie z naturą – ciągnął mój ojciec, profesor bardzo zwyczajny fekalologii wiejskiej na uniwersytecie rolniczym swojego imienia. – Sranie jest naturalnym procesem, jak zdobywanie pożywienia, i srać należy tam, gdzie się zdobywa pożywienie, żeby koło się zamknęło.

– Jakie koło, dziadku?

– Dziadku, a srać to nie jest brzydko? Jak ja mówię srać, to mama na mnie krzyczy.

– Dziadku, to ty musisz zdobywać pożywienie? Nauczysz nas zdobywać pożywienie?

– Ojej – westchnął brzuch. – Muszę iść do toalety. Natychmiast. A potem muszę się położyć.

– Pomóc ci? – spytał mój brat, ojciec brzucha, ale brzuch wiedział, że to tylko pytanie, więc samodzielnie wstał i oddalił się w kierunku toalety. Wychodka. Dzieci pobiegły za brzuchem. Nad stołem zaszumiała ogromna ważka, zachwyciła nas zielono-czarnym tułowiem, turkusowymi oczyma i skrzydłami, które wyglądały jak misterna grafika.

– Oni to potem wszystko w szkole powtórzą. – Moja matka soliła pomidory, stół, ziemię dookoła stołu. – Srać, wychodek, zastanów się, jak mówisz do dzieci.

– Normalnie mówię. Naturalnie. Wszystko jest ziemią. Ekologia. Człowiek żre i sra, nie ma się czego wstydzić. Każda dupa taka sama. To chyba z Gombrowicza. Nieważne. Żremy, co nam da ziemia, sramy w ziemię, a potem ziemia nas schowa i znowu ktoś nas zeżre. Nic nowego. Wszystko jest ziemią.

– Ale nie musisz się przy nich wyrażać, w końcu jesteś wykształconym człowiekiem, znasz na pewno jakieś eufemizmy.

– Ale ekologia...

– Ekosreko – obudził się mój brat, gdyż brzuch wrócił, zapewne już wysrany, z wychodka. Żona mojego brata ponownie usadowiła siebie i brzuch na moim bracie, stwórcy brzucha, aczkolwiek niezupełnie przygotowanym na przyjęcie jego zawartości. – My jesteśmy mieszczuchy, nie nadajemy się do ekologii. Zresztą to jest wszystko pic na wodę, w dwudziestym pierwszym wieku człowiek nie może żyć w zupełnej zgodzie z naturą. Prądu nie masz? Mejli nie sprawdzasz? Liśćmi łopianu się podcierasz? Lipę suszysz na herbatę czy do sklepu idziesz po erlgreja? No widzisz!

– Herbatę kupuję w sklepie. Ale mam swoje pomidory, swoją marchewkę, ziemniaki, swoje owoce na swoich drzewach. A jajka mam od kury prawdziwej, od gospodyni, a nie biało-białe z pieczątką.

– I co z tego? Myślisz, że będziesz dłużej żył? Że będziesz dużo zdrowszy? Przyzwyczailiśmy się do tego całego gówna z marketów i bylibyśmy chorzy, jakby nam jajek nie pieczętowali!

– Z psychologicznego punktu widzenia... – zaczęła żona mojego brata, ale brzuch skończył za nią, nie dając się psychologią zdominować. – Łeee, niespecjalnie się czuję. Powinnam już coś zjeść. Taka kiełbasa to mi chyba zaszkodzi.

– Zjedz gęś. Ekologiczna.

– Na kiełbasy trzeba będzie jeszcze zaczekać.

– Dziadku! – wrzasnęła trójka pasożytów, które dorosły właśnie do zjednoczenia z ziemią poprzez sranie w wychodku. – My jesteśmy już głodni!

– Tylko ja muszę umyć ręce, bo dotykałem tego kółka!

– Jakiego kółka?

– Tego w przyrodzie. Co się zamyka – zaśmiał się mój brat, który nigdy nie dawał za wygraną. – Narodziny, żarcie, sranie, śmierć, Uroboros.

– Tego kółka, co jest na środku wychodka! Musiałem się przytrzymać rękami, bo mi pupa wpadała!

– No to chodźcie umyć ręce. – Ojciec podniósł się z trawy. – Ale najpierw muszę przynieść wodę.

– Jak to przynieść?

– Ze studni. – Ojciec powiódł po nas wzrokiem z wygraną miną. – Normalnie. Woda się bierze ze studni.

Kiedy ojciec posadził pierwsze drzewa, bo drzewo trzeba sadzić jako pierwsze, drzewo jest powolniejsze niż człowiek i dlatego ważniejsze, kiedy wylano już fundamenty domu i ojciec gromadził wokół siebie drewno na budowę, wymyślił sobie jeszcze studnię. O tym wiedzieliśmy. Wszedł pewnego piątku do domu, zjadł obiad, spakował jakieś ubrania i oznajmił nam, że nie będzie go teraz trochę dłużej, nie wiadomo ile, może tydzień, może miesiąc, bo trzeba wykopać studnię i on musi tego dopilnować. Wrócił za tydzień, wrzucił ubrania do pralki i powiedział, że znowu go przez jakiś czas nie będzie, może tydzień, może miesiąc, bo dwóch różdżkarzy nie umiało znaleźć wody i trzeba znaleźć takiego różdżkarza, który znajdzie wodę. Ojciec wrócił znowu po kilku dniach i oznajmił, że różdżkarz się znalazł i woda się znalazła, tyle że bardzo głęboko i tym razem naprawdę nie wiadomo, jak długo go nie będzie, może tydzień, może miesiąc, może dwa. Wrócił po tygodniu, wrzucił ubrania do pralki, poszedł do sklepu i kupił pięć flaszek wódki, ponieważ, jak oznajmił, woda jest tak głęboko, że Jasiek Zięba, miejscowy kopacz studzien, jedyny, który pozwoli się tak głęboko na sznurze spuścić, za darmo tego nie zrobi. Jaśkowi widać nieźle szło, gdyż ojciec przyjechał po pięciu dniach po pięć kolejnych flaszek. I tak jeszcze kilka razy, jak w baśni, Jasiek Zięba szukał żywej wody, opróżniając kolejne flaszki, a ojciec stał nad dziurą, patrzył na Jaśkową łysinę, niebezpiecznie zbliżającą się do wnętrza ziemi, i obaj wierzyli w czary. Jasiek wreszcie któregoś dnia wrzasnął z dziury, jakby już się do piekła dokopał, kazał się w górę wyciągać i wreszcie stanął na świecie, pijaniuteńki, blady, za to w mokrych butach i skarpetkach. I następnego dnia żaden z nich już do studni nie wszedł ani żaden nie stanął nad studnią, gdyż opróżniali z radości te flaszki, które jeszcze zostały do opróżnienia. I nastał wieczór i poranek, dzień czterdziesty siódmy albo pięćdziesiąty trzeci, gdy ojciec mój z Jaśkiem Ziębą stworzyli wodę. I widzieli, że była dobra.

Wtedy ojciec zaczął znikać na dłużej, wracać na krócej, aż w końcu zaczęliśmy się martwić. Gdy się pojawił, kazaliśmy mu usiąść z nami za stołem, pomachaliśmy do niego oprawionym dokumentem starej, dobrej uczelni, zademonstrowaliśmy całkiem nowych mężów i narzeczone, mama pofarbowała włosy i upiekła szarlotkę i spytaliśmy, o co chodzi. I rzekł mój ojciec: Synu mój, czy ty chcesz ze mną mieszkać w rajskim ogrodzie Eden pod Krakowem? A syn odpowiedział: Ekosreko, na piwo z kolegami, zresztą ja się chyba będę żenił. I rzekł ojciec do mnie: Córko moja, czy ty chcesz ze mną mieszkać w rajskim ogrodzie Eden pod Krakowem i dziedziczyć go po mnie? A ja nie chciałam, tak bardzo nie chciałam jednym ruchem nierozważnej ręki rozwiać jego ważek zielonych nad stawem, jego marzeń o spuściznach, o tradycji, o koniu, radle i żarnach, ale spojrzałam na mojego męża, on spojrzał na mnie i pomyślał o dzieciach, o szkole, o zajęciach pozalekcyjnych, o lekcjach tańca i angielskiego, o kinie i teatrze, i nie powiedział, daj, ać ja pobruszę, a ty poczywaj, owocu ode mnie nie wziął i nie chciał ze mną w pocie czoła zdobywać pożywienia po wszystkie dni naszego żywota. A we mnie wezbrał strach, jak woda w studni pod Jaśkowymi nogami. I uciekłam z ojcowego raju.

– A ja cię rozumiem – powiedziała nagle moja matka, przesunąwszy się głębiej w cień gruszy, ponieważ słońce, niezrażone jakimiś teoriami o heliocentryzmie, wędrowało po niebie. – Ja ojca rozumiem. Związek z naturą, czułość dla ziemi, bóstwa chtoniczne, Boryna i tak dalej. Rozumiem. Tylko do tego trzeba dojrzałości. A my nie dojrzeliśmy. Gruszki dojrzewają. My jeszcze nie. Nie wiem, może się trzeba jakoś przygotować, może jesteśmy nieprzygotowani. Ja na pewno jestem nieprzygotowana. Mogę tu przyjechać na dzień, dwa, przywieźć ci jedzenie, posiedzieć pod drzewem, nawet ci mogę chwasty z grządki wyrwać, ale mieszkać tu nie umiem. Jestem nieprzygotowana.

– Kiełbasa się chyba zaraz spali – zauważył mój brat, pilny pasterz rzeczywistości. – Kochanie, to jak, będziesz jadła kiełbasę?

– Dziadku, bo my musimy ręce umyć!

– Bo ja trzymałem...

– No to kto idzie z dziadkiem po wodę?

I pomaszerowaliśmy pochodem, jak w dniu święta, chociaż wcale nie było daleko, kilka kroków zaledwie, z drugiej strony domu, do studni ocienionej lipowo-śliwkowym cieniem. Trzech niestetyrosnących, choć nieprzygotowanych, zaciskało z każdym dniem większe ręce na rączce srebrnego wiadra, którym się czerpie wodę żywą, ze studni, którą Jasiek Zięba z moim ojcem wykopali. Niestetyrosnący, poważni, jakby dźwigali wota do ołtarza, przed nimi ojciec-dziadek, studni pan i władca, i ja.

Kiedy nastał wieczór i poranek, rok trzeci albo czwarty, a ojciec oddzielił światło od ciemności i wykopał studnię, zaczął sadzić i plewić. Nie miały przed nim tajemnic orzech ani klon, jaśmin ani bez, a przede wszystkim drzewa owocowe. Wyciągnął srebrne wiadro z głębokości Jaśkowego alkoholizmu i swoich ambicji, wiadro napełnione płynnym kryształem, który falował na powierzchni i rysował na cembrowinie mapy swoich przepastnych, niezdobytych krain. Wtedy ojciec odstawił wiadro i wskazał mi dłonią drogę wśród jabłoni, śliw, grusz, czereśni i morw, kapiących fioletowymi kleksami między trawę. Poczułam na plecach dotknięcie ręki mojego męża. Odwróciłam się, ale on nie patrzył na mnie. Patrzył w ziemię, gdzie między brązowiejącymi gruszkami uwijały się osy. Na pniu przysiadł motyl, otworzył szeroko rdzawe skrzydła, obwiedzione żółtym szlakiem ponad niebieskimi plamkami.

– Rusałka żałobnik – powiedział ojciec.

– To jest twoje – odezwał się nagle mój mąż. – Nie słuchaj tego, co mówią. Wszyscy ci tak naprawdę zazdrościmy.

– Rusałka żałobnik – powtórzył ojciec, jakby chciał nas nauczyć. – Tak.

Mój brat zjadł już swoją kiełbasę bez musztardy i zabierał się do drugiej, trzymając między kolanami miskę z sałatką z pomidorów. Jego żona położyła wielki brzuch i siebie w cieniu pod drzewem, na pomarańczowym kocu, i zwinęła się jak larwa, przygotowująca się do przeżycia końca, który będzie początkiem. Ojciec ustawił przy stole wiadro z wodą, przyniósł miskę i ręcznik, a dzieci ustawiły się w kolejce do mycia rąk. W każdej czystej prawej ręce pojawiła się kiełbasa, w każdej czystej lewej ręce – kromka chleba. Moja mama zaczerpnęła dzbankiem wodę z wiadra i zaczęła odkręcać butelkę soku. Ojciec zatrzymał jej dłoń.

– To niepotrzebne. Zaraz przyniosę sok. Prawdziwy.

– Zrobiłeś?

– Zrobiłem.

– Zrobiłeś sok? – zdziwiła się mama. – Zaimponowałeś mi, naprawdę. Myślałam, że nie umiesz.

– Wszystko umiem. Zrobiłem sok i dżem. I pomidory, takie na zupę. Możesz nawet sobie zabrać kilka słoików, jeśli chcesz.

– Dziadku, a możemy podlać rośliny?

– Dziadku, a ja nawet wiem, gdzie jest konewka! Koło wychodka!

– Nie teraz. Wieczorem. Rośliny podlewa się wieczorem.

– Zaczyna mi się tu podobać. – Mój brat wytarł usta wierzchem dłoni. – Jedzenie lepiej smakuje. To chyba kwestia powietrza. Albo ekosreko, nie jestem pewien.

Nieprzygotowany do opuszczenia pokładu potomek mojego brata poruszył się nagle, jakby usłyszał, że tu się mówi o kiełbasie, której jemu nie dane było nawet spróbować. Żona mojego brata westchnęła i obróciła się na drugi bok.

Moja mama, wielka ćma w ciemnych okularach i kapeluszu z ogromnym rondem, pochylała się nad grządką. Między jej sandałami wychylały się z ziemi zielone kity marchewek, jak wojsko w szyszakach.

– Ładnie pachnie – powiedziała, mnąc w dłoni cienkie włoski kopru. – Nie spodziewałam się, że posieje koper. I groch. Po co mu groch? I narcyzy są przed domem, widziałaś? Lubię narcyzy. Teraz już przekwitły, ale lubię. Nie spodziewałam się. W ogóle wielu rzeczy się nie spodziewałam.

– Mogłabyś tu przyjeżdżać częściej. On chyba tego chce.

– Nie. Mylisz się. Ani on nie chce, ani ja nie powinnam. To jest jego. Ja tu jestem niepotrzebna. Nawet dżem się nauczył robić. A poza tym nie mam zamiaru na stare lata srać do wychodka. Ale tego kopru to sobie trochę narwę i zasuszę.

– Musimy jechać – stwierdził mój brat, podnosząc się z koca. Strzepnął go i złożył w kostkę. Zostawił za sobą kwadrat wygniecionej trawy. – Niepotrzebnie spałem, nie będę mógł zasnąć w nocy.

– Musimy – potwierdził mój mąż. – Ja jutro też wstaję wcześnie. Na pewno nie chcesz zostać?

Mama była już spakowana. Przygotowana do odjazdu. Jedyna przygotowana zawsze. Wszystko, co przywiozła, zostało zjedzone. Umyła miski i sztućce, poskładała papierowe pudełka, wycisnęła powietrze z butelek. Siedziała na leżaku, w kapeluszu i okularach, chociaż słońce było już nisko. Królowa nieekologicznych odpadów ze słoikiem dżemu i aromatycznymi łodygami kopru na kolanach. Przygotowana.

– Nie. Nie chcę.

– Dzieci! Chodźcie, musimy jechać! Kto się chce wysikać przed podróżą? Ostatnia szansa skorzystania z wychodka!

Ojciec stanął pod drzewem, przeciągnął się i patrzył na nas. Po kolei. Na mnie, na mojego męża, na mojego brata, który szukał kluczyków do samochodu, na żonę mojego brata z rosnącą zawartością. Nagle z tyłu napadła na niego szarańcza czerwonych, spoconych niedorostków w brudnych trampkach.

– Ale my nie możemy jeszcze jechać!

– Bo dziadek nam obiecał, że podlejemy rośliny.

– A ja wiem, gdzie jest konewka!!!

– Dziadku, miałeś mi kupić traktor! Kupisz mi następnym razem?

– To możemy podlać? Mamotatomamotatomamotato, możemy podlać?

Mój brat westchnął i zaczął zbierać z ziemi piłki do nogi, piłki do siatkówki, piłki do tenisa i lotki do badmintona. A za moim ojcem ponownie ustawił się pochód po wodę – trzej rosnący, ale wątpię, czy przygotowani. Dwaj z dumą i powagą nieśli między sobą srebrne wiadro, a najmłodszy, na końcu, konewkę. Żona mojego brata przymierzała się do nieinwazyjnego wejścia do samochodu. Mój mąż patrzył na mnie. Wiele nie mówił, musiałam się nauczyć czytać w jego spojrzeniu, ale teraz to było łatwe, po tylu latach niemówienia i patrzenia wiedziałam, czego nie chce powiedzieć, woli popatrzeć; co jest zbyt ważne, by to mówić.

Z przedpowrotnego rozleniwienia wyrwał nas krzyk nadbiegających dzieci. Zza domu wyłonił się ojciec, niosący konewkę, która obijała mu się o nogi pustym kołataniem.

– Co się stało? – spytała moja matka. Na to pytanie nie udało się nigdy żadnemu z nas odpowiedzieć, że nic się nie stało, ponieważ zadawała je właśnie wtedy, gdy coś się działo naprawdę. Wiedziała, kiedy zapytać. I była przygotowana na każdą odpowiedź. Ojciec stanął w rozkroku i szeroko otworzył oczy, jakby ponownie musiał się zdumieć tym, co się stało, zanim odpowie.

– Wiadro wpadło do studni.

– Co? Jak to?

– Bo dziadek chyba źle to wiadro zaczepił, bo to ja chciałem zaczepić...

– Nie dziadek źle zaczepił, tylko się odczepiło!

– Przez ciebie się odczepiło, bo ty chciałeś pierwszy zaczepiać!

– Jakbyśmy mieli konia, to koń by wyciągnął, bo koń jest bardzo silny, prawda, dziadku?

– Tato, pomóc ci jakoś? – spytał mój brat, mając nadzieję, że jego pytanie pozostanie na poziomie deklaratywności. – Bo musimy już jechać.

– Wiadro wpadło do studni – powtórzył jak echo mój ojciec.

– No to podlejecie innym razem – stwierdziła spokojnie moja mama. – Bo musimy już jechać.

– Wiadro nie może zostać w studni. – Ojciec powiódł po nas spojrzeniem. – Nie może.

– Musimy...

– Nic nie musimy! – krzyknął nagle mój mąż, który mówił niewiele, a nie krzyczał nigdy. A teraz krzyczał, krzyczał tak głośno, że go wszystkie drzewa usłyszały. – Trzeba wyjąć wiadro! Wyjmiemy wiadro ze studni i pojedziemy!

– Sam to zrobię – powiedział ojciec. – Sam. Tylko ja.

– Dziadku, ale przecież mówiłeś, że do studni nawet nie wolno zaglądać!

– Kupimy ci nowe wiadro i przywieziemy, dobrze? – spytał uprzejmie mój brat. – To znaczy ktoś przywiezie, bo ja muszę...

– Dziadku, a jakbyś miał taki ogromny magnes? Takim ogromnym magnesem toby się udało wyjąć!

– Może po Jaśka Ziębę trzeba skoczyć?

– Najlepiej, jakby był koń!

Żona mojego brata zaczęła się śmiać. Wystawiła nogi z samochodu na trawę, reszty siebie razem z brzuchem już nie chciała wystawiać, ale śmiała się tak, że cały samochód się trząsł, łącznie z bagażnikiem, wyładowanym piłkami i odpadkami nieeko.

– Sam muszę wyjąć – powiedział ojciec, patrząc poważnie na jej roztrzęsiony brzuch.

– No to wyjmuj – westchnęła moja mama. – Dom umiałeś zbudować, drzewa umiałeś posadzić, sok i dżem umiałeś zrobić. Wszystko umiesz. To i wiadro będziesz umiał ze studni wyjąć.

– Mamy poczekać? – spytał mój brat, ale nie doczekał się odpowiedzi. Ojciec odwrócił się na pięcie i odszedł.

Brzuch przestał się trząść i zniknął w głębi samochodu. Dzieci posiedziały chwilkę na krzesłach, pobiegały dookoła stołu, wyjęły z bagażnika jedną z piłek i zaczęły ją przerzucać ponad niską gałęzią gruszy. Zrobiło mi się chłodno.

– Jak mówi, że sam, to musi sam – stwierdziła moja matka. – Nie pozwoli sobie pomóc.

– Trzeba kupić nowe wiadro i tyle. Zresztą my już naprawdę musimy...

– Nic tu nie da nowe wiadro. Trzeba wyjąć tamto, wiadro nie może zostać w studni.

– A dziadek nam obiecał, że rośliny podlejemy...

– Tato, a można gdzieś kupić taki ogromny magnes?

– Jak on to wyjmie? Przecież to nie jest takie proste, wiadro ze studni wyjąć...

– Może ja jednak skoczę po tego Jaśka Ziębę?

– Jak mówi, że sam, to sam. Nie pozwoli sobie pomóc.

– Ale jak on to wiadro wyjmie?

– Ja będę pierwszy podlewał!

– Ja pierwszy! Dziadek mi obiecał, że ja będę pierwszy!

Z dalekiego stawu odezwały się żaby. Mama zmięła w garści koper, który zapachniał gorzko, jak zła myśl. Mój brat wyjął kluczyki z kieszeni, położył je na stole i ciężko usiadł. Dzieci przestały podrzucać piłkę i zaczęły się oganiać od komarów, które spłynęły nagle, jakby czekały przyczajone do tej chwili, gdy zrobi się chłodniej, nadejdzie wieczór i poczujemy się bezbronni.

– Cicho – powiedziała nagle moja mama, chociaż było cicho. Zresztą chyba nie była to prośba o ciszę, ale jej potwierdzenie. – Gdzie jest ojciec?

Mój mąż szybkim krokiem ruszył za dom, w kierunku studni, ocienionej lipowo-śliwkowym cieniem. Nie było go tylko przez chwilę, przez krótką chwilę, która wystarczyła, żeby nie zadawać mu pytania, gdy wróci, żeby przeczytać w jego spojrzeniu coś, co zbyt ważne, by mówić. Dlatego nie odpowiedział, gdy moja mama zapytała znowu i znowu, i jeszcze wiele razy, gdzie jest ojciec.

Stracciatella

Nieco ponad siedem kilometrów. Zwoje na ekranie nawigatora wyglądają jak rysunek wściekłego dziecka, jak fioletowe drogi ludzkich jelit. Zakręt za zakrętem, wciąż pod górę. Schowana w lesie droga co jakiś czas otwiera się na maleńką miejscowość, kamienne domy kryte czerwoną dachówką, obleczoną cieniem soczystej zieleni magnolii. Jeszcze wyżej. Samochód jest ostrożny i bardzo dzielny, nie wyobrażam sobie tutaj kogoś na rowerze. Kościół, cmentarz, koniec miasteczka. Jeszcze wyżej. Nic nas nie mija.

Malutki sklep spożywczy, apteka, zakręt i jesteśmy na miejscu. Hotel i restauracja „Amelia" po prawej stronie drogi, hotel i restauracja „Amelia" po lewej stronie drogi. Wiem, że to cię złości, że wolisz być pewny; zatrzymujesz samochód prawie na środku ulicy, którą idzie kot. Idzie sobie, jak chce, powoli, nie rozglądając się wcale, dlatego twoja złość mija. Wszędzie można zaparkować, skoro nic nie jedzie i nie pojedzie. Kot to wie.

Wysiadam, wyciągam plecak, zakładam na głowę kaptur kurtki, bo z bezchmurnego nieba zaczyna padać, kropla po kropli, delikatnie, żeby zanadto nie przeszkodzić kotu.

Gdy kieruję się do hotelu i restauracji „Amelia" po lewej stronie drogi, z hotelu i restauracji „Amelia" po stronie prawej wychodzi mężczyzna w żółtym fartuchu zawiązanym w pasie, uśmiecha się i zapewnia mnie, oczywiście, hotel i restauracja „Amelia" po prawej, a on tu czeka, jakby czekał zawsze, jakby na świecie całym, gdzie góry składają się z zakrętów, nie było niczego prostszego.

Mężczyzna przedstawia się jako właściciel hotelu i restauracji „Amelia" po obu stronach drogi; wyciera ręce w fartuch, wchodzi na środek ulicy i prostą, powolną, nierozpędzoną angielszczyzną tłumaczy ci coś, a potem, gdy cofasz samochód i wjeżdżasz na ukryty wśród drzew lipowych parking, wprowadza mnie do hotelu i restauracji „Amelia".

Rozpadało się i kot czmychnął. Szerokie drzwi i wszystkie okna na parterze są otwarte na oścież. Mężczyzna czeka na mnie wśród gęstwy metalowych stolików i krzeseł.

Każdy mój krok śledzą spojrzenia. Przy ścianie trzy staruszki, wszystkie w okularach; przy stoliku mężczyzna z gazetą mniej interesującą od mojej kurtki oraz drugi, młodszy, opierający łokcie na stole. Kobieta za ladą obraca się w moim kierunku, w ręce trzyma filiżankę do espresso. Zaraz przyjdziesz i na pewno będziesz chciał napić się espresso, nie ma nic lepszego niż espresso we Włoszech, zwłaszcza gdy się ma za sobą wyczerpujące zakręty, a przed sobą nic. Buongiorno, mówię, i dodaję już po angielsku, mamy tu zarezerwowany pokój, zaraz przyjdzie mój mąż z dokumentami i paszportami i na pewno zamówi espresso. Buongiorno, odpowiada mi chór głosów męskich i żeńskich, starszych i młodszych, a kobieta przemieszcza się pod napis „Reception".

Zmokłeś w deszczu i cała złość schowała się za którymś zakrętem; wyciągasz dokumenty potwierdzające rezerwację pokoju, nasze paszporty. Kiwasz głową, kiedy kobieta pyta: Espresso? Właściciel restauracji i hotelu zdejmuje żółty fartuch, zapisuje nasze nazwiska w zeszycie, a potem dyskutuje z kobietą na temat numeru pokoju, który ma być nasz; rozmawiają długo i głośno, wyraźnie rozstrzygają poważny problem, jakby mieli nie wiadomo ile pokoi i nie wiadomo ilu gości, jakby na ladzie przed nami nie leżał rząd kluczy. Smutni żołnierze na drewnianych koniach, można chyba wybrać swój ulubiony numer od jednego do dwudziestu, każdy gotowy. Ale trzeba mieć swój ulubiony numer, a dla nas numery nie mają znaczenia. Dostajemy pokój numer osiem, naczynia połączone, wieczna symbioza dwóch kół, zakręty zamknięte.

Zdejmujemy wilgotne kurtki, siadamy przy wolnym stoliku. Spojrzenia odprowadzają każdy nasz gest, śledzą każdy dźwięk, wypowiadany w dziwnym, szeleszczącym języku, pełnym niespodziewanych zakrętów. Spojrzenia podnoszą się wraz z naszymi dłońmi do naszych ust, podtrzymując maleńkie filiżanki z gęstą kawą. Spojrzenia nie są niepewne ani podejrzliwe, to po prostu spojrzenia ludzi, którzy patrzą na coś nowego, co pije espresso, jakby uczestniczyło w nabożeństwie, pije kawę, której widocznie nie ma u siebie, tam gdzieś gdzie indziej, gdzie ludzie mówią, jakby nieustannie zakręcali. Spojrzenia nie są badawcze ani nachalne; to spojrzenia ludzi, którzy nie kryją się z tym, że patrzą.

Młodszy z mężczyzn podnosi się i rusza w kierunku półki z chipsami, bierze paczkę i wraca na swoje miejsce, stawiając powoli chromą nogę. Starszy człowiek sięga po leżącego na stoliku pilota do telewizora, zapala się ekran i spojrzenia na chwilę odrywają się od naszych filiżanek i przenoszą na ulicę pełną facetów na rowerach. Giro d'Italia. Zakręt za zakrętem, ale oni są przyzwyczajeni, nawet nie wiedzą, kiedy czas im mija. Rozglądamy się. Wymyśl coś, mówisz, wymyśl cokolwiek, nieważne co, wszystko tu jest. Na jednym końcu lady – recepcja hotelu „Amelia", rząd kluczy z drewnianymi kołkami, kasa fiskalna, zeszyty, foldery, powiewające losy na loterię, stojak z lizakami, breloczki, naklejki. Lustro. Na drugim końcu – restauracja „Amelia", ekspres do kawy, szklanki i kieliszki, rzędy butelek, talerze, sztućce, serwetki i wykałaczki. Na ścianie – telewizor, obok niego półka z chipsami i miejscowymi specjałami – słoikami z miodem, konfiturami, butelkami wina i oliwy. Między oknami wychodzącymi na ulicę – automat do gry. Hortensje w donicach na tarasie, tak ciemne, że prawie granatowe, wymyte deszczem. Staruszka w swetrze wyjmuje z reklamówki kulę fioletowej włóczki i szydełko, przyciska palcem wskazującym okulary do nosa i bardzo, bardzo powoli wchodzi w kolejny rząd półsłupków. Na ścianie nad nią – długoszyja piękność Modiglianiego, papież z dalekiego kraju o dziwacznym języku, pagórkowaty landszaft z obowiązkową kampanilą.

Może to i lepiej, myślimy, że o tej porze jest już tylko pizza, ponieważ kucharz poszedł do domu, co wyjaśnił nam właściciel hotelu i restauracji „Amelia", jakby mieli nie wiadomo ile dań i nie wiadomo ilu kucharzy, tylko akurat dzisiaj nie wiadomo ilu gości wszystko już zjadło i została tylko pizza. Może to i lepiej. Koniec zakrętów. Właściciel przygrzewa dla nas pizzę, patrzysz mi w oczy ze spokojem najciemniejszego espresso. Koniec zakrętów.

Jedna ze starszych pań nagle przesiada się bliżej nas i o coś pyta, o coś mnie pyta, bardzo cicho i po włosku. Może dałabym radę zrozumieć, gdyby mówiła troszkę głośniej, chociaż odpowiedzieć – na pewno bym nie umiała. Właściciel hotelu i restauracji przygrzewa gdzieś na zapleczu naszą pizzę, nie mogę więc poprosić jego nierozpędzonej angielszczyzny o pomoc, uśmiecham się do starszej pani, która ponownie próbuje zmiękczyć mnie swoim cichym włoskim pytaniem. Kulawy mężczyzna patrzy na mnie wyczekująco, ale jako że nie stać mnie na nic poza uśmiechem, wstaje po kolejną paczkę chipsów i zagłębia się w meandry Giro d'Italia. Zakręty chociaż w telewizorze, bo tutaj chyba wszystko jest proste.

Pizzę przynosi nam kobieta zza lady; to chyba żona właściciela, bo mają takie same żółte fartuchy. Włoskie pytanie pozostaje bez odpowiedzi. Espresso, pizza, cóż może być prostszego w małej włoskiej mieścinie, do której wiedzie droga skręcona jak jelita. Pizza jest pyszna albo my jesteśmy głodni i zmęczeni, albo też nieważne, nieważne jak ulubiony numer. Jemy pizzę ze spojrzeniami. Niebo się przejaśnia, granatowe hortensje połyskują w kroplach deszczu przemieszanych ze słońcem.

Starsza pani powoli przekłada włóczkę przez metalowy zakręt szydełka. Giro d'Italia się skończyło, chudzi faceci dźwigają większe od nich puchary, dają się całować pięknym dziewczynom, trzęsą butelkami szampana i oblewają się pianą. Mężczyzna, który włączył telewizor, szura krzesłem, mówi coś, wszyscy się śmieją, po czym gasi ekran i wychodzi zapalić na tarasie. Przejeżdża samochód. Wiem, bo kulawy odwraca się w stronę okien już na kilka sekund wcześniej i czai się jak zwierzę do skoku, a starsza pani zatrzymuje szydełko. Samochód nie zatrzymuje się jednak, szydełko znajduje swoje oczko, kulawy podważa paznokciem metalowe kółko na puszce coca-coli. Starszy mężczyzna odkłada przeczytaną gazetę na sąsiedni stolik. Sięga po nią sąsiadka szydełkującej.

Miasteczko nie wygląda na bardzo stare, ale przecież ludzie musieli tu mieszkać, zanim wynaleziono samochody. Jakże im się chciało wynosić pod górę wszystkie te kamienie, glinę na dachówki, wszystkie donice z hortensjami, sadzonki srebrnych oliwek, które wtykają w nieposłuszne stoki? Na obfite zbiory oliwek trzeba czekać wiele lat. Samochód wynaleziono chyba jakoś w połowie XIX wieku. Musieli te dachówki, sadzonki, swoje garnki, pościel, losy na loterię ciągnąć pod górę na wozach, końmi, osłami, musieli odłożyć swoje gazety, szydełka, żeby zamieszkać na górze, żeby wybudować drogę pełną zakrętów, na których szczycie zostali, na których szczycie nie dzieje się nic. Musieli czekać latami na jakichś ludzi, którym wystarczają espresso i pizza, i granatowe kule hortensji, i stoki srebrne od drzew oliwnych, nad którymi zapada zmierzch.

Wstajemy od stolika, ubieramy się w to, co nasze, a gdybyśmy zapomnieli o jakiejś kurtce, plecaku czy mapie, spojrzenia nam przypomną. Odnosimy maleńkie filiżanki. Pojawia się właściciel hotelu i restauracji „Amelia", życzy nam dobrego odpoczynku i spokojnej nocy. Wyprowadza nas na taras i wskazuje ręką hotel i restaurację „Amelia" po przeciwnej stronie drogi. Tam jest pokój numer osiem, tam się śpi, a tutaj się pije espresso, je pizzę, rozmawia się o wynikach Giro d'Italia, przepuszcza między palcami kolejne dni, powstające jak szydełkowe oczka, bardzo powoli, ale wciąż tak samo.

Chciałbym sprawdzić pocztę i wysłać ważną wiadomość, mówisz, chociaż nie ma ważnych wiadomości. Albo te najmniej ważne są najważniejsze. Jest dostęp do Internetu? Jakie jest hasło? Właściciel wyciąga kartkę i długopis, pisze coś i podaje ci kartkę. Czytasz i śmiejesz się. Stracciatella. Hasło do wi-fi – stracciatella. Stracciatella, wykrzykujesz, a leniwa załoga statku odpowiada ci, stracciatella, podaje sobie magiczne słowo z ust do ust, słowo lekkie i smaczne, słowo, które znamy, które połączy nas ze światem zakrętów, pracy, zapomnianych obietnic, spotkań odłożonych na później. Wszyscy się śmieją. Znasz to słowo, pyta właściciel. Tak, znam, mówisz głośno, śmiejąc się, i wszyscy śmieją się do ciebie, stracciatella, twarde, zimne kawałki czekolady w śmietankowych lodach. Śmiech odprowadza nas na taras.

Wracam do wnętrza i proszę właściciela o pomoc. Starsza pani o coś mnie spytała, a ja nie umiałam jej odpowiedzieć. Chcę jej odpowiedzieć, nawet nie po to, żeby nie być nieuprzejmą; chcę po prostu dowiedzieć się, o co pytała. Właściciel hotelu i restauracji po obu stronach świata podchodzi do starszej pani, coś do niej mówi i odwraca się z uśmiechem na ustach. Wyjaśnia mi, że ona jest już bardzo stara, dlatego tak zaczepia ludzi, wszystkich ludzi zaczepia, jakby tu było nie wiadomo ilu ludzi. Chciała tylko spytać, czy nam jest tutaj dobrze, nie trzeba się nią przejmować. Czy nam jest tutaj dobrze, wśród srebrnych oliwek i granatowych hortensji, w miejscu bez czasu, w miejscu, gdzie kończą się wszystkie zakręty, z kluczem numer osiem w ręce. Tak, jest nam dobrze, odpowiadam, zostawiliśmy świat za sobą, pizza była znakomita i chyba przestało padać, a ja chcę się przejmować każdym pytaniem, każdym spojrzeniem, mam na to wystarczająco dużo czasu, którego nie ma.

Czekasz na mnie na tarasie. Chwytam cię za rękę i rozglądam się w obie strony, chociaż nic nie jedzie i nie pojedzie. Wchodzimy do hotelu i restauracji „Amelia" po drugiej stronie drogi, na pierwszym piętrze znajdujemy pokój numer osiem. Łóżko z kolorową narzutą, szafa z lustrem, idealnie poskładane ręczniki, cukierki na komodzie, wszystko czyste i czekające pod numerem osiem od dawna. Burzymy porządek ręczników, zjadamy cukierki, kochamy się powoli, jakby jeszcze trwało popołudnie. Ze zdziwieniem dotykamy miejsc, których dotykaliśmy tyle razy. Odkrywam nas w lustrze wprawionym w drzwi szafy, podglądam nas pierwszy raz w życiu z zewnątrz. Nigdy nie byłam ciekawa, jak wyglądamy, gdy się kochamy, a teraz patrzę jak człowiek, który nie kryje się z tym, że patrzy. Jesteśmy ładni. Ładnie wyglądamy, naprawdę, i nie staram się, żeby jakiekolwiek inne słowo przyszło mi do głowy.

W nocy marznę pod cienkim prześcieradłem, wstaję, przymykam okno, szukam w plecaku skarpetek i bluzy. Szczękając zębami, wtulam się w twoje plecy, zaskoczona ich ciepłem.

Rano, gdy schodzimy na śniadanie do hotelu i restauracji „Amelia" po drugiej stronie drogi, są tam już starsza pani z szydełkiem i kaleki mężczyzna. Pachnie kawą. Hortensje wyschły. Przy naszym stoliku siedzi czteroosobowa rodzina, która rozmawia śpiewnymi francuskimi sylabami, popijając caffè latte i gorącą czekoladę. A jednak nie jesteśmy tu sami, myślę, a jednak nie jesteśmy tu sami, mówisz. Chociaż w lustrze widziałam ciebie i siebie po raz pierwszy wczoraj w nocy, zbyt długo cię znam, żeby nie wyczuć w twoim głosie nuty zawodu.

Ślady

Nieprawda, że się pamięta wigilie. Gdy się jest starym, zlewają się w jedną zupę w wazie, sklejają w jeden niezgrabny pieróg ze starym farszem, w kulkę chleba. Nie ma różnic. Dzieci wierzą, że to coś ważnego. Uczymy je wierzyć, czekać i niecierpliwić się, żeby to robiły za nas, kiedy dla nas to już nie będzie miało znaczenia. Pamiętamy tylko te wigilie, gdy się pusty talerz nagle zapełniał, bo ktoś przybył, albo gdy ten talerz stał naprawdę pusty, pusty tym, kto z niego jadał kiedyś. A teraz nie je.

Ojciec wszędzie chodził. Mieliśmy bryczkę dużą, wygodną, ale on i tak wolał piechotą. Mówił, że wszystko wokół jego, prawie do miasta, a po swoim jeździł nie będzie. Kazał się w butach wysokich pochować, ale jak umarł, to się okazało, że buty takie schodzone, że wstyd ojca w nich do trumny położyć. Kupiliśmy mu szybko nowe i w tych nowych pochowaliśmy, ale to też niedobrze wyglądało, bo się każdy dziwił, że ojciec takie nowe buty ma. Niechodzone. Nie pozwoliłby się w niechodzonych pochować, ale już nie było wyboru. Zresztą Pan Bóg się na tym nie pozna, bo ojciec wszędzie chodził, ale do kościoła to akurat mało kiedy. Tylko na jedenastego listopada. Kościelny opłatki przynosił, to mu ojciec wiśniówki nalewał i się droczyli, ej, panie hrabio, a kiedyż to pan do kościoła raczysz? A przecież już w tym roku byłem, a tyle mnie do hrabi, co tobie do mojego sumienia, Władku, mówił ojciec i śmiał się, aż stołem trząsł, bo się z panem Władkiem bardzo lubili.

Wcześnie się ojciec kładł, wcześnie wstawał, butów szukał i zaraz zaczynał chodzenie. Najpierw gospodarkę obszedł, do koni zajrzał, kurom gniazda przejrzał, gruszki spadłe zebrał. Nie była to jego robota, bo parobków trzymał, ale sam lubił przypilnować. Na śniadanie kazał sobie jajek podać, jadł szybko i znowu wychodził. Czasem psa brał, ale się zdarzało, że pies wrócił, a ojca jeszcze długo nie było. W lecie szedł z koszem, wracał z kozakami, rydzami albo tylko z zielonym żukiem, co dziwnie śmierdział, albo starym gniazdem os, kruchym i pustym jak wydmuszka. Jak się go udało namówić, to nas wszystkich zabierał na borówki albo grzyby, ale jak szedł sam, to szedł sam. Nie przeszkadzało mu, że za gorąco czy za zimno. Zimą też chodził, czasem z zającem przez ramię przewieszonym wracał, czasem bez niczego, tylko mnie do siebie przyciskał, a policzki miał jak czerwone kamienie. Pachniał mrozem i ziemią. Patrzyłam, jak na jego rękawicach misterne wycinanki śniegu zmieniają się w krople.

Wszędzie chodził. A nie opowiadał się nikomu. Wracał, kiedy chciał, i znikał, kiedy chciał. Nikt się więc nie zdziwił, że i wtedy zniknął.

– W taki dzień – powiedziała mama. – Roboty huk, a on sobie wychodzi. Haniu, niech Hania dopilnuje chleba. I mak niech Hania zmiele. Ja muszę do miasta. Czy aby bryczka została?

– Niepotrzebnie pytać! Wiadomo, że pan piechotą woli! – wymądrzała się Hania z kuchni.

Pobiegłam do chleba, chociaż można było po łapach za zaglądanie dostać, ale lubiłam sprawdzić, czy pachnie, czy w górę idzie. Zresztą w kuchni było tyle cudów teraz, wielkie misy pełne żółtek, czarne uwędzone gruszki, orzechy... Hania mnie ścierką przeganiała, ale nieraz wsunęła do ręki coś dobrego.

– Haniu, utrzyj mi kogel-mogel... – poprosiłam, a Hania jajkiem o stół stuknęła, do kubka żółtkiem chlupnęła, cukru trochę posypała i dalejże kręcić łyżką i jęzorem, a nie zawracajże mi głowy, skaranie boskie, tyle ma człowiek roboty, a ta jeszcze kogel-mogel, sama byś już mogła zrobić, taka duża panienka. Nie wiadomo, czy tych jajek starczy, a ktoś u kur dzisiaj sprawdzał, czy tam aby się jeszcze jakie jajko nie znalazło, a ja stałam i patrzyłam, jak się ze słowami miesza słodka, żółta piana, i nie o słowa mi chodziło.

Wyszłam z kuchni z pachnącą łyżką w ustach. Za stołem siedział Staś i wycinał z opłatków gwiazdy. Staś był z nas najstarszy i najzdolniejszy. Bo do ojca podobny. Jeden jedyny miał nos prosty i ostry, jak z opłatka wycięty, i oczy ciemne, w których się woda odbijała, a nie takie nijakie. Ani szare, ani zielone, ani niebieskie. Myśmy były do matki podobne, kanciaste takie, a Staś był piękny po ojcu. Chodził wielkimi krokami, jak ojciec. Szłam za nim po śniegu, bo mi kazał po śladach swoich chodzić, i musiałam z jednego śladu w drugi przeskakiwać, a Staś śmiał się i wyciągał mnie z zasp. Śmiał się też najwięcej. Po ojcu to miał. Ojciec zawsze się śmiał, nawet jak matka coś poważnie do niego mówiła, to się śmiał, nie dla kpiny, tylko ze zwykłego śmiechu się śmiał, miał ten śmiech w sobie i go po trochu wyjmował, i matka się na niego nie mogła gniewać, poburczała czasem coś i odwracała się, ale ją w pasie chwycił i zaśmiał się jej do ucha, coś zaszeptał i wygrał z nią zawsze. Staś miał po nim ten śmiech, co wszystko wygrywał, i nawet jak w zaspę wpadłam i śnieg mi się do ust nasypał, jak się Staś zaśmiał, ciepło mi było. Chciałam się takimi wielkimi krokami nauczyć chodzić za Stasiem, ale nie umiałam. A Staś mało co nawet za ojcem chodził, a i tak był taki jak on.

Basia siedziała na krześle, dyndała nogami i podkradała Stasiowi opłatki, bo jej Staś pozwalał. Opłatki miał na desce rozłożone, nożem wycinał małe kawałeczki, a potem je ślinił i sklejał w świat, bez żadnego rysowania, bez wzoru. Wszystko miał w głowie.

– Zrobisz mi świat? Malutki. Tylko dla mnie żeby był – poprosiłam.

– Ty jesteś światem – powiedział Staś i zaśmiał się. – Pamiętaj.

– Ubieraj się – zadzwonił za mną głos matki i wyrwał mnie z opłatkowego zapatrzenia. – Pojedziemy do miasta, do ciotki Marysi. Na wigilię ją zaprosić.

Co roku jeździłyśmy do miasta, do ciotki Marysi, na wigilię ją zaprosić. A ona nigdy nie przychodziła. Pewnie dlatego, że była już stara, wiele lat starsza od mamy, i już się jej wigilie w jednej wazie zlewały. Ale mama uparcie jeździła, zawiozła jej zawsze jabłek, orzechów, konfitur, miodu czy nalewek. Zresztą mama to się nawet cieszyła, jak ojciec gdzieś wychodził i bryczkę zostawiał. Lubiła bryczką jeździć. Kazała furmanowi zaprząc i wieźć się. Ale do miasta nie było daleko, godzinę drogi najwyżej. Zresztą co to za miasto, ryneczek malutki, cztery kamienice, a reszta domy zwykłe, takie jak nasz, a nawet mniejsze i drewniane. A nasz był murowany. Dziadek go postawił jeszcze, bo się chciał pochwalić, że dom będzie miał murowany, że na wsi, ale po pańsku. Cegielnię najpierw musieli zbudować, żeby ten murowany dom stanął. Ojciec się w tym domu murowanym urodził, w tym domu murowanym został, i myśmy się też tam urodzili. Ale mama była z miasta i do miasta lubiła jeździć. A ja nie lubiłam jeździć do ciotki Marysi, na wigilię ją zapraszać, bo się i tak zaprosić nie pozwalała.

– Co roku mnie zapraszasz. A ja co roku nie przyjeżdżam. To w tym roku też nie przyjadę – powiedziała ciotka Marysia, stawiając dymiącą herbatę na stole. Na wszystkim miała koronkowe obrusy, bo nie dawała się zapraszać, tylko szydełkowała i wszystko miała koronkami przykryte, w oknach firanki koronkowe, koronkowe serwetki pod herbatą, kołnierzyki koronkowe do sukienki. – Weź ciasteczko, upiekłam ciasteczek, to wam dam. Ale na wigilię nie przyjadę.

– Nie przyjedziesz. – Mama herbaty łyknęła. – Wiem, że nie przyjedziesz, tylko po co ja cię co roku zapraszam? Po co z dzieckiem w taki mróz do miasta przyjechałam?

– Przyjechałaś mnie odwiedzić. Taka tradycja, że mnie przed wigilią odwiedzasz, siostro. Do miasta czasem trzeba zajrzeć. A ja mam taką tradycję, że do ciebie na wigilię nie przyjeżdżam. Jak się ciepło zrobi, przyjadę.

– Sama tak siedzieć będziesz? Wigilię z rodziną trzeba spędzić. To jest większa tradycja.

– Kto to wie, siostro – ciotka Marysia się rozparła na krześle – czy mnie nie lepiej samej niż tobie z rodziną. Kto to wie.

– E, gadanie – oburzyła się mama. – Ani byś przy dziecku tak nie mówiła. Na starość to człowiek sam rady nie da, zobaczysz, rodzinę trzeba mieć.

– Nie wiadomo – westchnęła ciotka Marysia. – Nie wiadomo. Marysiu, pokaż no się! – Za brodę mnie podniosła i spojrzała w oczy. – Imię jej po mnie dałaś, ale urodę będzie mieć po ojcu. Rośnij, dziewczyno, rośnij, w ciotkę starą pannę się nie wdawaj! – Ścisnęła mnie mocno za ramię, zabolało. – Do ojca podobna, aż w oczy kłuje!

– Bardzo ciocię przepraszam – odważyłam się – ale mama mówi, że najwięcej Staś do ojca podobny.

– Bzdury! Ty najwięcej podobna jesteś. Nos ci się ostry robi, z tym nosem uważaj. Oczy masz po matce, ale patrzysz jak ojciec. – Ciotka wstała od stołu, do kredensu podeszła, pogrzebała, wróciła i kościstymi palcami wcisnęła mi do spoconej dłoni coś okrągłego. – Masz. Na rynku nowy sklep otwarli. Wstążkę do włosów sobie kup. Masz wstążkę do włosów? Włosy też masz po ojcu, twoja matka takich grubych włosów nigdy nie miała. Kup sobie wstążkę. No weź, od ciotki prezent będziesz miała.

Mama nie lubiła, jak dzieciom pieniądze dawać, ale wiedziała, że się z ciotką nie ma co kłócić, bo takie zwyczaje ciotka miała, że się nie dała przegadać. Podziękowałam, mama się z ciotką Marysią wyściskały, ciotka mi się kazała dobrze chustką obwiązać, bo mróz, pożegnałyśmy się i dopiero jak mama konie, co na nas czekały, po pyskach poklepała, zaczęłam nudzić, żebyśmy tę wstążkę chociaż zobaczyć poszły, bo to niedaleko, a nie wiadomo, kiedy w mieście znowu będziemy, i mnie wcale tak zimno nie jest. Mama westchnęła, kazała furmanowi poczekać jeszcze, wzięła mnie za rękę i poszłyśmy do sklepu.

W sklepie nieczęsto bywałam, bo nie było potrzeby, mama mówiła, że w domu wszystko jest; ojciec czasem, jak z miasta wracał, kawałek mydła kupił, gazetę sobie przyniósł, dla Stasia ołówek do rysowania. Dlatego się ucieszyłam, że będę mieć coś ze sklepu. I dzwonek w sklepie mnie ucieszył, i że kawą pachniało, i że mnie pan zza kontuaru czekoladą prawdziwą poczęstował, i że mama w tym sklepie też się śpieszyć przestała, tylko oglądała, co było na półkach. Najbardziej podobały mi się farby w pudełku, ale mama powiedziała, że jak wstążka, to wstążka, i pan zza kontuaru zaraz wstążki podał, i drewnianą linijkę wyjął, a mama we wstążkach zaczęła przebierać, to jaką chcesz, Marysiu, czerwoną czy granatową, może ci granatową kupimy, a ja oglądałam puszki z kawą i herbatą, co na wystawie leżały, a pan powiedział, żeby nie dotykać, bo się wywrócą, on od rana układał, i nie dotykałam, to jak, granatową, będzie ci pasowała, jak do szkoły pójdziesz, a ja oglądałam te puszki, bo na nich były obrazki kolorowe z ludźmi, co kawę i herbatę piją, a z drugiej strony wystawy, na ulicy, stała dziewczynka i też oglądała, ona mogła dotykać, bo dotykała na niby, paluszkiem tylko szyby dotykała. Granatową wezmę, powiedziała mama, a dziewczynka za szybą dotykała puszek z herbatą i uśmiechnęła się do mnie. I tak się dziwnie uśmiechnęła. Jak Staś.

Dopiero wtedy się jej przyjrzałam, bo wcześniej oczy miała spuszczone i rysunki z puszek na szybie palcem rysowała, a mama do mnie ze wstążką granatową z tyłu podeszła, co tak marudzisz, granatową kupiłam, jeszcze cukierków dla Basi weźmiemy, żeby nie płakała, że dla niej nic nie ma ze sklepu, ja się przyglądałam dziewczynce i pewnie dlatego, że szyba tak odbijała, wydawało mi się, że ta dziewczynka jest trochę do mnie podobna. Była wyższa i chuda, nie miała kożuszka, tylko cienki płaszczyk z za długimi rękawami, i chustkę zawiązaną pod brodą, ale miała taki nos jak ja, co się podobno ostry robi i trzeba z nim uważać, i oczy miała do moich podobne, tylko takie ciemne jak Staś. I uśmiechała się jak Staś.

Popatrzyłam na mamę. Mama też patrzyła teraz na dziewczynkę. Ale mama się nie uśmiechała. Tylko patrzyła. Niech szanowna pani da wstążkę, to zapakujemy, ale mama tylko stała i patrzyła na dziewczynkę. A dziewczynka jeszcze się uśmiechnęła, okręciła się na pięcie i pobiegła, jakby ją ktoś zawołał. Mama patrzyła za nią.

Chciałam też pobiec, ale mama mi rękę na ramieniu położyła i stała ze mną. Inny klient do sklepu wszedł, pan zza kontuaru nasze cukierki odłożył, a myśmy z mamą stały. I mama widziała, i ja też widziałam, choć było daleko i śnieg zaczął sypać, ale widziałam, że z domu po drugiej stronie rynku wyszedł mój ojciec. A może to nie był mój ojciec, może do ojca podobny, bo śnieg sypał i trudno było patrzeć, ale kożuch miał jak mój ojciec, i buty po ojcowemu chodzone, i duże kroki stawiał jak ojciec, albo mi się wydawało, i pani jakaś za nim wyszła, też w płaszczu cienkim, z dzieckiem małym na ręku, i dziewczynka do nich podbiegła, i ojciec, albo ten pan do ojca podobny, dziewczynce ręce na głowie położył. I mama patrzyła. Patrzyła, aż ta pani z dzieckiem i dziewczynką do domu weszły, a mój ojciec wielkimi krokami odszedł. A może nie ojciec. Chyba podobny tylko.

Mama wzięła cukierki, wzięła wstążkę zapakowaną, zapłaciła i wyszłyśmy. Furman na nas czekał, śniegiem cały obsypany jak wielki bałwan. Koniom z chrap wilgotne powietrze dymiło. Mama posadziła mnie obok siebie, przycisnęła mocno. Chciałam coś powiedzieć, ale mnie zbeształa tylko, że za zimno na gadanie, i otuliła mi usta chustką.

Nie odezwała się całą drogę. W domu dała Basi cukierka, zawiązała mi wstążkę na warkoczu i poszła do kuchni pilnować, czy Hania sobie radę daje. Ojciec wrócił, gdy już do kolacji siadaliśmy. Uśmiechnął się.

Przypomniałam sobie tamtą dziewczynkę, co do mojego ojca biegła. Ale to nie mógł być on. To jakiś jej ojciec, podobny do mojego, a ona do mnie podobna. Mój ojciec przecież z nami za stołem siada, ręce zaciera, chleb miodem smaruje i podaje mi. Uśmiecha się.

– Ze słomy trzeba gwiazdy porobić, Stasiu, gwiazdy i krzyże, słomę za obrazy powkładać, na tragarzu sad powiesić. Rano jodłę przyniosę. Orzechów zawiesić. Marysiu, z mamą u cioci byłaś? Wstążkę masz nową. Pokaż. Piękna ta wstążka. Idź jutro kołki w płocie policzyć, boś taka panna duża, że ci kawalera niedługo szukać. Basiu, cukierków dziś się nie je, na gałęzi powiesimy, przecież pościć trzeba, Basiu, pajdę chleba dostaniesz. Na święta sobie cukierków zjesz. Świat skleiłeś? Jabłka, orzechy są?

Mama talerze składała, kiedy ją ojciec w pasie złapał i do siebie przyciągnął. W oczy mu spojrzała, ale zaśmiał się tylko.

– Prezentów tyle, cukierki, wstążka... Wigilia przecież jutro dopiero. Będzie i dla mnie jaki prezent? Rano jodłę przyniosę. Pomóc coś trzeba?

– Cały dzień cię nie było – powiedziała poważnie mama.

– Ano nie było. Gospodarz musi być na gospodarstwie, baba w domu. Jutro nie pójdę nigdzie. Pomóc będzie trzeba, to pomogę.

– Wszystko już zrobione.

– Coś tam wynajdziesz zawsze.

– Może wynajdę.

– A prezent dla mnie będzie? – spytał ojciec wesoło, mamie w oczy patrząc.

Leżałam już w łóżku, kiedy przyszedł do mnie Staś. Cichutko wszedł, bo Basia już spała. Ubrany był jeszcze, bo nie musiał się kłaść wcześnie.

– Świat dla ciebie zrobiłem – szepnął. – Gdzie zostawić?

– Piernikami pachniesz.

– Bo jeszcze pierniki i orzechy przygotować musiałem na jutro, na sadzie zawiesimy, będziecie z Basią podawać... Gdzie ci ten świat położyć?

– Tu, do ręki mi daj, będę go trzymać.

– A jak zaśniesz i położysz się na nim, to się cały pognieciesz, a drugi taki piękny mi nie wyjdzie.

– Nie pogniecie się!

– Ciiii... Pogniecie, pogniecie, mój ty piękny świecie. Na oknie zawieszę, rano wstaniesz i znajdziesz.

– Stasiu...

– Śpij już.

Od rana mama po domu biegała, po naszym murowanym, solidnym domu, i dobrze, że taki był solidny, bo od biegania mógłby się zniszczyć. Kazała mi się Basią opiekować, żeby w kuchni nie przeszkadzała, no i przez tę Basię nie mogłam patrzeć, jak się co robi. Ojciec jodłę przyciął i u tragarza zawiesił, a Staś jabłkami, pierniczkami i orzechami ozdabiał. Basia się uparła, że swoje cukierki ona sama musi zawiesić, więc ją ojciec podniósł wysoko. Potem Basi obrazki w dużej książce pokazywałam i wąchałam tylko, bo nas do kuchni Hania nie puszczała, więc zgadywałyśmy zapachy. Czy to mak pachnie w mleku gotowany, czy chleb Hania kroi, czy pszenica, czy śliwki na kompot? Czy zboże, co je ojciec do domu wniósł? Zgadywałyśmy, zgadywałyśmy, a potem Basię trzeba było przebrać i siadłyśmy przy oknie, żeby wypatrywać gwiazdki.

Ojciec stół na samym środku postawił, żebyśmy pod sadem siedzieli. Siana pod obrus tyle nakładł, że talerze nie chciały równo stać. Opłatki porozkładał. Po parobków poszedł, bo zawsze z nami do wigilii siadali. Hania fartuch zdjęła, zmęczona, ale zadowolona, bo wszystkie potrawy się jej udały i zdążyła na czas. Stasiowy świat kręcił się nam nad głowami wśród jabłek, orzechów, pierniczków, cukierków Basi. Ojciec koszulę białą wkładał i śmiał się do mnie, śmiał się do Basi, do mamy, i mówił, żeby nie zapomnieć każdej potrawy spróbować, bo to szczęście przynosi, że trzeba po wigilii z opłatkami do zwierząt pójść, bo dla nich Pan Jezus się też urodził, nie tylko dla człowieka, i żeby zapamiętać wszystko, bo jak kiedyś będziemy dorośli i swoje domy będziemy mieli, i swoje dzieci, to tak samo musi być, jak tradycja mówi. A ja się starałam wszystko zapamiętać, wszystko. Teraz już wiem, że się nie pamięta, że się wigilie w jedną zlewają, jak zupa w wazie, którą Hania wniosła, w jedną kulkę z chleba, w jedną gorzką pestkę śliwki z kompotu. Ale wtedy słuchałam i starałam się zapamiętać, jak ojciec wstaje, świeczki zapala, opłatek bierze, mamie życzenia składa, w rękę ją całuje, Stasia do siebie przyciska, jak tamtej dziewczynce na głowie rękę kładzie, jak mi szepcze do ucha, żebym na dużą pannę wyrosła, co o wszystkim pamiętać będzie, jak Basię do góry podnosi, jak się z tamtą panią żegna, jak parobkom po monecie do ręki wkłada, a Hani daje kupon na sukienkę, jak się śmieje, kolędę śpiewając, jak odchodzi szybkimi, dużymi krokami, za którymi nie mogę nadążyć. Jak mówi, żebyśmy do wieczerzy siadali, i jak mama nagle od stołu wstaje i stoi. Stoi nad nami, nade mną, nad Basią, Stasiem, nad Hanią i nad talerzami białymi, co im krzywo na obrusie sianem grubo podścielonym. Stoi i na ojca patrzy.

– Prezent ci obiecałam – mówi mama nagle, głosem jakimś poważnym, do uśmiechu ojca niepasującym. – Jest dla ciebie prezent.

– Mnie nie trzeba prezentów robić! – śmieje się ojciec, po stole się rozgląda. – Same tu moje prezenty! Dzieci mam piękne, żonę mam dobrą, Pan Bóg zdrowie daje, w domu ciepło, stół pełen, mam już wszystkie prezenty!

Mama od stołu wstaje i wychodzi do kuchni. Ojciec po nas patrzy, w oczach mu się woda odbija. Hania zaczyna zupę nalewać, Basia sięga po chleb, gdy mama wraca. Kosz niesie w ręce, przykryty białą szmatką. Przed ojcem na stole stawia.

– To dla ciebie prezent.

Ojciec Basię na kolana bierze, no chodź, mówi, zajrzymy, co to za prezent dla taty, Basia szmatkę odsłania i do koszyka zagląda, musi ojcu na kolanach stanąć, bo koszyk taki wielki, a ona jest jeszcze malutka, jeszcze ma czas i na zapamiętywanie, i żeby się jej wigilie w jedną zlały, chlebek, mówi Basia, chlebek i jajeczka od kurki, i kurka też jest cała. Mama siada i na ojca patrzy, a ojciec na nią. Dużo chlebka i dużo pierniczków, mówi Basia, konfitury, jabłuszka, opłatki też są, koło chlebka, i jakieś picie. I miodek w garnuszku.

– Zawieź jej – mówi mama, głośno mówi, żebyśmy wszyscy słyszeli i zapamiętali, ale tylko na ojca patrzy. Ojciec się śmieje, śmieje się do mnie, do Stasia i Basi, do mamy, ale mama patrzy tylko. Patrzy z dumą i smutkiem. Basia z kolan ojca schodzi i siada koło mnie ze swoją kromką chleba, bo jest jeszcze malutka i dopiero się nauczy, że się nie je pierwszemu, gdy nikt jeść nie zaczął, gdy tylko wszyscy patrzą i czekają. Ojciec czeka. Ręce składa jak do modlitwy i rusza wargami, ale nie mówi nic. A mama na jabłka nad stołem wiszące spogląda, na świat, co go Staś z opłatków skleił, na orzechy i Basine cukierki, tylko patrzy i słucha, ale jakby nie widziała i nie słyszała, że ojciec od stołu wstaje, że konie każe zaprząc, a sam buty wciąga i kożuch zakłada, powoli, jeszcze się na stół oglądając, że koszyk bierze, drzwi otwiera i zostaje po nim biała, zimna kurzawa, co do naszego murowanego, ciepłego domu na moment wtargnęła, a potem tylko ślady wielkich kroków na śniegu, kroków, co ich, choćbym chciała, dogonić nie umiem, parskanie koni.

Bardzo uprzejmie dziękuję Paniom z Muzeum Etnograficznego im. Seweryna Udzieli w Krakowie: Małgorzacie Oleszkiewicz, Grażynie Pyli, Krystynie Reinfuss-Janusz za życzliwość i pomoc.

Spotkałem opowiadanie

Spotkałem opowiadanie, tylko ktoś je musi teraz tak napisać, żeby było czułe, światłoczułe, literoczułe, nie wiem, co jeszcze czułe, jak czuła umie być tylko dłoń, najmniejszy palec, nikomu niepotrzebny, wskazujący wskazuje, na serdecznym nosi się obrączkę, żeby było wiadomo, dla kogo twoja czułość jest przeznaczona, komu twoja czułość opiera się wieczorem i kogo szuka rano. Środkowy zawsze pierwszy, dyryguje ręką, wystukuje rytm, a kciuk, ten kciuk nas wyróżnia, dzięki niemu mogę cię objąć, trzymać pióro. I tylko mały palec, najmniejszy, który mimochodem odgina się od filiżanki, który czasem wytrze z kącika oka kuleczkę snu lub rozmazany makijaż, ale właściwie przez większość czasu jest bezrobotny, posłusznie podąża za resztą, szuka swojego miejsca we wnętrzu rękawiczki.

Było chłodno, księgarz skulił się, odwrócił i już miał zwrócić uwagę temu, kto zostawia niedomknięte drzwi, ale powstrzymał się, kiedy ich zobaczył, jakby znał ich od dawna i wiedział, że to oni, że on wchodzi powoli, spokojnie, podczas gdy ona trzyma drzwi i kontroluje wzrokiem każdy jego ruch. Tak, na pewno znał ich od dawna, nic go nie zdziwiło. A ty ich znałeś? Nie. Oczywiście, że nie. Przecież nie mówiłbym ci, że spotkałem opowiadanie. Właściwie to nawet nie zauważyłem, kiedy weszli, szukałem czegoś, wiesz, próbowałem w esejach, myślałem wśród traktatów filozoficznych, nie powiodło mi się w powieści. Chyba dopiero gdy usłyszałem jej głos, zorientowałem się, że stoją za mną. Nie mogłeś więc widzieć, jak wchodzili. Nie, nie mogłem, ale nie powiedziałem przecież, że widziałem, możesz to napisać. Przecież nie pisze się tego, co było naprawdę, pisze się to, co jest czułe jak głos za plecami, jak ostatnia kropla wina w kieliszku, jak zapomniana w pudełku cebulka hiacynta, która wytryska na wiosnę białym zębem.

Usłyszałem ich, a jej o mały włos nie potrąciłem, obracając się, była taka malutka jak dziesięcioletnie dziecko, niziutka, jeszcze niższa ode mnie, dużo mniejsza od ciebie, sięgałaby ci do połowy ramienia. Na wysokości swojej szyi trzymała jego dłoń. On był za to wielki jak góra lodowa, wielki i w wielkiej zielonej kurtce, jakiś taki nieporadny, wielgachny Piotruś Pan. Piotruś Pan i Dzwoneczek, jakie to ładne, prawda? Trzymała go za rękę i upuszczała ją, o tak, jak się upuszcza rozbite jajko do zagłębienia w mące, patrząc, jak opada, a jego ręka opadała na książki i dotykała ich. Kiedy przechodzili do następnego stołu, na którym porozkładane były całe sterty książek, Dzwoneczek trzymał Piotrusia Pana za rękę, a potem upuszczał ją na okładki i Piotruś Pan przesuwał swoją wielką łapę we wszystkich kierunkach, pozwalając palcom potknąć się na wytłaczanych literach czy wpaść do rzeki między okładką a grzbietem. I tak wędrowali księgarnią Dzwoneczek z Piotrusiem Panem, dotykając wszystkich książek po kolei, dlaczego tak robili, czy on był niewidomy, no oczywiście, że był niewidomy, jakoś mi to umknęło na początku, obserwowałem rytuał, śledziłem jego palce, wchodzące w górę i zjeżdżające w dół po stosach przeróżnej wysokości, po chudej poezji i opasłych biografiach, czemu biografia poety jest zawsze dziesięć razy grubsza niż tomiki jego poezji, zastanawiałaś się nad tym, no ale wtedy do mnie dotarło, że on jest niewidomy, że czyta palcami, ale przecież to nie jest księgarnia z publikacjami w alfabecie Braille'a, więc nie czyta, tylko się z książkami pieści.

Kret i Calineczka wędrowali między stołami i półkami. Wyobraziłem sobie, że przynoszą wybraną książkę do domu, ona siada na fotelu, w świetle lampy, a on słucha jej głosu, czytającego mu baśnie z dzieciństwa, wiodącego go ciemnymi ulicami kryminału, malującego opisy, ale chyba nic z tego. Kret i Calineczka, ona chciała na wolność, a jego interesowały tylko podziemia. Ona się zatrzymywała, więc zatrzymywał się i on. Upuszczała jego dłoń na ladę z literami. Chyba chciała wybrać coś dla siebie, chyba chciała sama sobie poczytać, ale Kret

nie dawał za wygraną, bezbłędnie rozpoznawał opusz-
kami palców różowy kolor okładek, nie dał się nabrać
na siódmy tom sagi, na prozę nieudanego poety ani na
poezję fatalnego prozaika, ani na autobiografię napisa-
ną podstawionym piórem. Co jakiś czas on wyławiał
książkę, podawał jej, ona czytała na głos tytuł, a potem
w ciszy obracała książkę w rękach i tropiła wzrokiem cy-
fry w prawym dolnym rogu. Tytuł dla ciebie, cena dla
mnie. Zastanawiałem się nawet, dlaczego usłużny sprze-
dawca, krążący wśród innych niezdecydowanych klien-
tów, nie podszedł do nich, nie zaoferował pomocy. Ale
chyba odmówiliby. Nie szukali niczego konkretnego.
Odprawiali rytuał Kreta i Calineczki. Przegląd okładek.

A to, powiedz, co to, powiedz, mruczał Kret nad lite-
raturą zagraniczną, poukładaną alfabetycznie, gdzie jesteśmy, przy B, co to, powiedz, Banville, Barnes, co to?
Bukowski. Bukowski, to pewnie czytaliśmy. Czytaliśmy,
westchnęła Calineczka i spojrzała tęsknie na półkę z prze-
wodnikami i przepisami. Bukowskiego nie chcę, syknął
Kret. Ja bym sobie poszła obejrzeć książki o gotowaniu,
szepnęła Calineczka, ale Kret złapał ją za rękę i ciągnął od
Bukowskiego przez Grassa, Márqueza, Oza, aż do Zoli.
A to? To jakiś Houellebecq. Poważna sprawa, tak się nazywać, Houellebecq, tyle liter, nie chcę tego Houellebecqa,
sapnął Kret, bardzo smutne, pamiętasz, kiedyś coś czytaliśmy, bardzo smutne. Coś weselszego. A to takie grube, co to? Nowy Rushdie? Znowu taki gruby? Rushdie

to nie umie skończyć wcale, chyba mu płacą od linijki, a ten noblista, najświeższy, jak się nazywa, pamiętasz, Modiano, właśnie, to nie było takie grube, prawda? Ale w miękkiej okładce, nie bardzo lubię miękkie okładki, są miękkie za miękkie, zresztą musielibyśmy wrócić od R do M, przekroczyć znowu tych Skandynawów na L i na N. Oni się wszyscy nazywają na L albo na N. Nie, nie chcę, chodźmy dalej.

Tup tup, tupali cały czas, szurali, dotykali, ona go przestawiała, swojego wielkiego Kreta, w ciemnych korytarzach literatury, a on pieścił książki. Dotykał, ważył, rozważał, podawał jej, czekał na odczytanie tytułu lub nazwiska autora, krytykował albo aprobował, a gdy aprobował, ona sprawdzała cenę na okładce i przestawiała swojego Kreta do kolejnego regału, nad kolejny stół. Albo Kret wyjmował książki z jej rąk i starał się palcami odnaleźć tytuł, który przeczytała, dotknąć słowa, dotknąć z czułością, wiesz, jak się dotyka wygiętej szyi, jak się zapisuje czyjeś nazwisko na zaproszeniu, jak się patrzy na opadającą pianę w kąpieli. Złociste pęcherze karmelu na patelni. Ziarna piasku. Szorstki cynamon. Zagłębienie w obojczyku.

Przemierzali literowe korytarze, ślepy Borges z gderliwym Wergiliuszem, a po co ci to, przecież to już kiedyś czytaliśmy, zapomniałeś, ja bym sobie przeczytała jakąś sagę rodu, długą i wzruszającą, o miłości i wojnie żeby było. Fuknął na nią i ruszył przed siebie na oślep, oczywiście, że na oślep, wściekły Borges, saga rodu, jeszcze czego, musiała się pośpieszyć, żeby podtrzymać go za ramię przed stopniem, który musiał pokonać, by wejść do drugiego pomieszczenia, biografie ciekawych ludzi i biografie nieciekawych ludzi, czytaj mi tytuły, no czytaj, popędzał ją, podając kolejne książki, czyja to biografia, człowiek ciekawy czy nieciekawy, czytaj, traktaty filozoficzne, Schopenhauer nieciekawy filozof Nietzsche ciekawy filozof Kotarbiński nudziarz Pascal bez przesady, ja bym sobie popatrzyła na tamte książki o papieżu, nie wygłupiaj się, czytałaś już wszystko o papieżu, no ale bym sobie popatrzyła. Co to takie chude? Eco. Eco taki chudy? To nie jest powieść chyba, a jaki tytuł? Interpretacja i nadinterpretacja. Interpretacja i nadinterpretacja? Tak. Skąd to wyjąłeś? Z góry, z najwyższej półki. Ciekawe, jak schowasz z powrotem, ja nie dosięgnę. Zostaw, ktoś schowa, a może znajdzie dzięki temu, że myśmy zostawili, interpretacja i nadinterpretacja, myślałby kto. Ale czy można tak sobie pójść, nie odłożywszy na miejsce, zostawić w pół dotknięcia, czy jeśli raz się dotknęło, należy do ciebie jak odpakowany cukierek, oczko w rajstopach, cień do powiek, który wcierasz w skórę na wierzchu dłoni, między palcem wskazującym a kciukiem, i patrzysz, jak kolory się mieszają, robisz tak, prawda, robisz, wiem, że robisz. Dotknięte jest twoje. Czy można tak zostawić, obudzić w środku nocy, wiem, że to robisz, piszesz mi palcami na plecach jakieś zaklęcia, coś szepczesz do siebie, a gdy się odwracam, udajesz, że śpisz, robisz tak, prawda.

Kupili coś? Nie, nie kupili. Ona sprawdzała ceny, a potem odkładała książki na miejsce. Nie wiem, czy chcieli kupować. Poszperali, potupali, ponarzekali i poszli. Wielki Borges ze swoją malutką latarnią. Zresztą może nie chcieli niczego kupować. Może nie mieli takiego planu. Może chcieli poczytać tytuły i podotykać sobie książek, a potem poodkładać je na miejsce. I tak ich spotkałem właśnie, opowiadanie moje, tylko ktoś musi je jeszcze napisać. Nie myślałem wtedy o kupowaniu, nawet o czytaniu nie myślałem, tylko o czułości. Żeby ta czułość była o czymś. O dniu bez ciebie, o krótkim, niepoliczonym wieczorze, o miękkich kartkach pokrytych słowami, o tym, jak dajemy się prowadzić za rękę w nowe stare miejsca, o świetle, które ślepnie.

Demerara

Zapachniało. Mogłam iść po ciemku, kierując się tylko nosem. Nos wiódł. Pachniała cała klatka schodowa.

– Wejdź. Napijesz się czegoś? To jest Ania, to jest Beata, to jest druga Ania, chyba się znacie, to jest Karolina. Iwonka jeszcze przyjdzie. Aniu, Beato, Aniu, Karolino, poznajcie się. Czego się napijesz?

– Herbaty, chętnie.

– Herbaty? – zapiała Ania, którą chyba znałam, drapiąc się w łydkę. Miała niebywale długie paznokcie, mogła się podrapać we wszystko bez dotykania tego wszystkiego dłonią, samymi paznokciami tylko, pięciokrotny czerwony dystans wobec ciała. – Mamy wódkę, wino. Wino ja przyniosłam, hiszpańskie. Najlepsze jest hiszpańskie.

– Najlepsze jest francuskie. Francuskie wino to jest wino. Reszta win to nie jest wino – stwierdziła Karolina. To chyba była Karolina, a może ta druga Ania, trochę za szybko je poznałam i bez podania ręki, gdy człowiek podaje rękę i patrzy w oczy, zapamiętuję jego imię. Na pewno nie Iwonka, Iwonka jeszcze przyjdzie.

– Ja dzisiaj robię kurczaka, do kurczaka jest najlepsze hiszpańskie. Albo kalifornijskie, ale nie mamy. – Magda, gospodyni, założyła kuchenną rękawicę w gąski i otwarła uzbrojoną dłonią sezam piekarnika. – Udka. Mogą być udka?

– Wszystko jedno – powiedziała druga Ania, jeśli nie Karolina. – I tak pakują w te kurczaki różne gówno, i całe kurczaki, nie tylko udka, cały kurczak gównem napchany, udko nie udko. Moja znajoma dawała dziecku same kurczaki, dziewczynce, i piersi jej zaczęły rosnąć.

– No to chyba dobrze. Dziewczynkom rosną piersi raczej.

– Ale nie pięcioletnim, Karolina, no! – Ania, tak, to na pewno Ania, skoro powiedziała do Karoliny Karolina, to ona jest Ania.

– My już mamy piersi, możemy sobie pozwolić na kurczaka – zaśmiała się Magda, z czułością dotykając złotej skórki opinającej udka, złoto w skarbcu piekarnika, królowa Midasowa będzie jadła złoto. – Najwyżej będziemy mieć większe.

– Ja to już bym nie chciała większych – stwierdziła ta, co jeszcze niczego nie stwierdziła, Beata, czekała chyba na te cycki, żeby się odezwać, bo złapała się dumnie za D, za cycki się złapała, bo dookoła cycków złapać by się nie mogła, 85 D co najmniej. – Wszystko mi się rozpina, zawsze mi się rozpina w pracy na zebraniu, ja coś referuję, że podaż, że popyt, a tu mi się rozpina taka podaż! – Wstrząsnęła bufetem z dumną melancholią.

– Herbaty chciałaś, prawda? To herbaty czy wina?

– Herbaty.

– A może wina jednak? Albo najpierw lepiej herbatę, bo zimno. Jaką chcesz? Cytrynową, liczi, waniliową, zieloną?

– Tak się utarło, że jak zimno, to się pije herbatę, nie? A herbata wcale ciepła nie trzyma, orzechy trzeba jeść. Najlepiej laskowe. Karolina, sałatę umyj, dobrze? Albo ja umyję, a ty przygotuj arbuza.

– Z arbuzem zrobisz? Mniam.

– A raz to zrobiłaś z takimi kulkami żółtymi, co to było?

– Melon.

– Melon, mniam.

– Ale nie mieli ładnych melonów, musiałam kupić arbuza.

– Już nie mogę. Już nie mogę, jestem taka głodna – załkała Beata. – Idę do pokoju, nie mogę w tej kuchni wytrzymać. Za bardzo pachnie. Kiedy ten kurczak będzie? Weź sobie herbatę i chodź.

Wreszcie zbawienie. Kulinariom koniec. Odkrycia techniczne. Heidegger, najlepsze kremy do rąk, literatura skandynawska, co ostatnio widziałaś w kinie, czy dzieci zdrowe, teraz podobno epidemia ospy, a gdzie posyłacie

Małego do szkoły, urlop to chyba w Bułgarii, pięknie i niedrogo, no i morze, ciepłe morze.

Beata siadła na sofie. Sofa wgłębiła się posłusznie. Biust 85 D ułożył się wygodnie na naturalnej półce brzucha Beaty, rozluźnił się i rozłożył na boki.

– Dobrze mi w tej bluzce? – Beata złapała się ponownie za biust i poukładała go nieco foremniej. – Bo mam za dwa dni randkę i nie wiem, czy w niej iść, czy nie. Nie zwija mi się za bardzo? – Spojrzałam analitycznie na bochny w płótno zawinięte, na swojskie mięcho, które Beata uparła się wkładać, z trudem, niepotrzebnie, zamiast się poobkrawać i zostawić na stoisku z wędlinami. Źle pływasz chyba, Beata, skoro ci trzy koła ratunkowe potrzebne. Ale mnie wyciągnęłaś kołami z kulinarnego bagna, chwała ci, Beato spożywcza, Heidegger i najnowszy film Allena, i gdzie posyłacie Małego do szkoły.

– Dobrze. Nie zwija się. Tylko...

– Już się nie mogę doczekać, kiedy to jedzenie będzie. Ty wiesz, czego ja dzisiaj nie zjadłam, żeby tu przyjść? Obiadu nie zjadłam, kolacji nie zjadłam, na śniadanie tylko jogurt zjadłam. I nic więcej nie zjadłam. Właśnie po to, żeby tutaj coś zjeść. Magda gotuje najlepiej na świecie, te kurczaki od rana w soku pomarańczowym się moczyły, wiem, bo dzwoniłam wcześniej i pytałam, jak tam kurczaki, a Magda mi powiedziała, że od rana w soku pomarańczowym się moczą. Raz coś przygotowała z kminkiem, a ja lubię kminek, bo dobrze robi na trawienie, i powiedziałam, że dobre, bo z kminkiem, a Magda mówi, że to nie jest kminek, tylko kumin. Kumin! Takie cuda. A potem sobie zrobimy brownie. Lubisz brownie? No kto nie lubi brownie? Oraz owoce pod kruszonką. Z lodami.

Beata wsadziła parówki palców do stojących na stole miseczek. Do miseczki z zieloną zawartością. Do miseczki z pomarańczową. Do miseczki z białą w jakieś kropki. Potrzymała parówki w miseczkach, aż biała masa podeszła jej pod pierścionek na serdecznym palcu. Potem każdą palcową parówkę wsadziła sobie do ust, rozdziawiając je i oblizując się krowim obliźnięciem, zamaszyście. Herbata przestała mi smakować. I wystygła.

– Dipy do kurczaka. – Parówka złapała białą, gęstą kroplę, próbującą spłynąć ku depresji w środku 85 D Beaty. – Najlepszy ten zielony. Spróbuj. To chyba z bazylią. Magda! – wrzasnęła Beata, unosząc nieco ponad sofę swoje kiełbasiane kolekcje – Ten zielony to z bazylią?

– Z bazylią i z pietruszką! – odwrzasnęła Magda, opierając się o framugę rękawicą kuchenną w gąski. – I z oliwą, trochę tak jak pesto, ale nie do końca. I z orzeszkami piniowymi.

– Ja cię, orzeszki piniowe – stęknęła Beata. – Człowiek wie, że żyje, nie?

Poprzedzone smagającym sufit zapachem weszły wreszcie kurczaki, weszły uda na talerzu, uda złociste, wydepilowane i zapieczone, zapiekłe w zapieczeniu. Za udami weszła Magda, na udach własnych się unosząc, ale gdzie tym udom do ud talerzowych, nie tak złote, nie tak wydepilowane, nie tak zapiekłe, ich zapach nie niesie w niebo złotej melodii. Nikt ich nie pożąda.

Weszły wreszcie na udach swoich nieudolnych bachantki ud kurzych, aby się w złocie kurzym zapieczonym unurzać, aby je ssać, całować, językiem pieścić, rozrywać czerwonymi paznokciami. Tylko uda na języku mieć. Panegirykiem śpiewnym uda uczcić. Nieskończony potok soczystych przymiotników, smacznych metafor, uda złociste, jakże wam się udało.

Uwielbiam cię, udo złote, uwielbiam cię, soku pomarańczowy, który udo topiłeś godzinami długimi, uwielbiam cię, mieszanko przypraw do kurczaka, co w sprawie doprawiania najważniejszy masz głos. Pokłon ci niosę, piekło piekarnika, iżeś uda tak nasze na złoto wyzłociło.

Weszły, siadły, udami własnymi zajęły sofę, uda kurze w ręce wzięły i dalej ssać, i uda wysławiać. A uda kurze w uda im szły. W uda niewyzłocone, nieprzypieczone, których nikt językiem nie gładzi, nikt soku z nich nie wyciska, nikomu te uda blade, spodniowe, do głowy nawet nie przyjdą, nikt o nich wiersza nie napisze, nikt ich jeść nie zechce. Powinnyście się zdać na kulinarne strategie Magdy i do piekarnika pozwolić się powsadzać, przypiec na złoto.

Nad stołem wisiały ich paznokcie, jak sople lodu pod samochodami w zimie, paznokcie unurzane w dipie pomarańczowym, zielonym (orzeszki piniowe), białym z kropkami, lśniące tłuszczem kurczęcym. Wszystkie równocześnie sięgały po nowe udo, nowe udo, nowe, i jeszcze jedno. Pstrykały palcami nad talerzem, jakby to miało im pomóc w wybraniu uda najpiękniejszego, zaklinanie-czarowanie. I schowaj się, Juliuszu Cezarze, ile one kości tam rzuciły. Zaplotły paznokcie na kieliszkach, i wstydź się, Diogenesie, beczki twoje opróżniły, przewróciły na bok, sturlały się w beczkach z sofy.

– Chyba muszę sobie beknąć. Przepraszam – powiedziała na wdechu Beata. – Uooeeeee. No.

– Bekaj, bekaj, Beata, na zdrowie!

– Przyjęło się!

– W niektórych krajach, jak się po jedzeniu nie beknie, to jest wyraz braku kultury.

– Zresztą zdrowo beknąć. Uooeeeee. Przepraszam.

– Albo trzeba na talerzu zostawić. W Turcji chyba, jak cię zaczną karmić, to nie przestają, dopóki na talerzu nie zostawisz.

– Mnie by chyba trzy dni karmili, ja nigdy nie zostawiam.

– Możecie otworzyć? – spytała sennie Ania, palcem tłustym wskazując drzwi. – Ktoś chyba dzwoni.

– Ja otworzę. – Wstałam, podniosłam kubek z herbatą, żeby mi do herbaty udami nie nakapały. To Iwonka. Iwonka, co się spóźniła, kto późno przychodzi, temu ud ostatki.

– Nie poczekałyście na mnie? Musiałam dłużej w pracy zostać. Wszystko zeżarłyście? Jestem Iwonka – powiedziała Iwonka. – Zostało coś dla mnie? – Przesunęła pasek w spodniach o jedno ogniwo. – Specjalnie dzisiaj na siłowni byłam, jak pójdę na siłownię, to nie mam potem wyrzutów sumienia, że się najem. – Plasnęła udami o sofę. – O czym rozmawiałyście?

Boże, Iwonko, o czym rozmawiałyśmy. O mlaskaniu, bekaniu, o wyższości papieru do pieczenia nad folią aluminiową, o naczyniach żaroodpornych, o majeranku, widelcu, o winie.

– O tym i owym. Co u ciebie? Jak tam z Maćkiem?

– Z Maćkiem dobrze – uśmiechnęła się Iwonka. Może wreszcie coś innego, może nie o udach, widelcach. – Mieliśmy przedwczoraj rocznicę, zaprosił mnie do tej restauracji na Sławkowskiej, gdzie mają świeże małże. – Nie, jednak nie, mój błąd. – Macie pojęcie, świeże małże, tylko raz w tygodniu są świeże, potem już nieświeże, zjadłam chyba ze czterdzieści i cztery. Nie wiem, jak się do taksówki potem dotoczyłam.

– Ja też miałam niedawno rocznicę i wiecie co? – Magda omiotła słuchaczki miodowym spojrzeniem. – Mój facet pozwolił mi wybrać prezent, co chcę, cokolwiek.

– No i co wybrałaś?

– Wybrałam palnik do crème brûlée.

– Palnik do crème brûlée?

– Palnik do crème brûlée!!!

– Uwielbiam crème brûlée! Zawsze chciałam mieć taki palnik.

– Właśnie! Brownies! Przecież miałyśmy robić brownies!

Próba. Trzeba podjąć próbę, nie można bez walki się poddać i ugrzęznąć w roztopionym maśle. Teraz je wziąć. Na widelec.

– Co najbardziej niezwykłego robiłyście w swoim życiu?

Pauza. Może zaskoczy. Może zaraz opowiedzą o skoku na bungee, wejściu na Kilimandżaro, przejściu na islam, adopcji pięciu kociąt, wolontariacie w szpitalu dziecięcym, nauce greki, żeby czytać Homera w tramwaju w oryginale. Punkt.

– Ja jadłam w Peru świnki morskie.

Strata punktu.

– Świnki morskie?

– No, takie nadziane na patyk.

– Jak to smakuje?

– Ja bym nie zjadła świnki morskiej za nic w świecie.

– Trochę jak kurczak smakują, dobre.

– Świnki morskie, mniam.

– A ja jadłam osy. Raz u nas w programie – Ania zawiesiła głos – był taki facet, który jadł tylko robale. Normalnie jak Timon i Pumba. I przyniósł pieczone osy. I zjadłam taką pieczoną osę.

No i jestem na minusie.

A ty czemu nie jesz?

Czemu nie jem. Nie wiem, czemu nie jem, właściwie czemu ja nie jem, może nie jem, bo najnowszy film Allena, bo adoptowałam kocięta, może nie jem, bo chętnie znałabym grekę, żeby Homera w tramwaju w oryginale poczytać. Nie jem, bo patrzę na was, Rubensówny, a kto na was patrzy, ten jeść nie może, temu uda w gardle kością stają, temu sól na rany masło maślane, temu pieczone gołąbki, kraj mlekiem i miodem płynący, gdzie bez pracy nie ma kołaczy, temu chleba naszego powszedniego, niebieskich migdałów i pierwszego jajka lub kury, temu gruszki na wierzbie i oliwa sprawiedliwa.

– Nie masz apetytu?

– Jak to apetytu nie masz? Ja mam zawsze apetyt.

– Herbata ci się skończyła.

– Może ci rumianku zaparzyć? Albo melisy?

– Kminek sobie pogryź. Kminek apetyt pobudza. Może chcesz coś słodkiego?

– Brownies! Miałyśmy robić brownies! Chodźcie ze mną robić brownies! – zaapelowała Magda. Wszystkie żołądki się uniosły.

– Ja mogę stopić czekoladę. Uwielbiam patrzeć, jak czekolada się topi.

– Bo zawsze podjadasz!

– Podjadam. A od czego jest życie?

Właśnie. Otóż i wnioski. Życie jest od podjadania. Popędziły do kuchni. I już jedna mąkę przesiewa, druga miksuje, trzecia czekoladę topi i podjada. I paluchy wkłada na dno, i czeka, aż jej brązowe rękawiczki zastygną, a potem oblizuje. Trzecia piekarnik ustawia, czwarta w jajku trzyma świata początek, rozbija skorupkę i wdziera się do żółtka. Trą, ubijają, podjadają. Wino piją. Hiszpańskie.

– Ale się najadłam tymi udkami. Nie wiem, czy mi się brownie zmieszczą.

– Powinnaś mieć piórko.

– Po co piórko?

– Jak się Rzymianie nażarli, a żarli na leżąco, na półleżąco, żeby im wchodziło lepiej, to potem brali takie piórko specjalne, szli na stronę, piórkiem pogmerali w gardle i znowu mogli jeść.

– Szczęśliwi ci Rzymianie – wzdycha Karolina.

– Mogę ci pomóc, chcesz? – Ania wyciąga w jej stronę palce, czerwony paznokieć z brązową, czekoladową obwódką. – Cudzym palcem najlepiej. Podobno.

– Dziewczyny, przestańcie! – woła Magda, chichocząc w misę z masą. Brownies. – Przestańcie, bo się posikam ze śmiechu! Cudzym palcem, o rany, muszę iść do kibla, bo się posikam! – Przekazuje misę wyciągniętym rękom i biegnie, żeby ze swoim winem zdążyć. Nie domknęła drzwi, regularne obroty miksera mieszają się ze zdrowym, uczciwym strumieniem, z czerwonego żółte, kulinarna mistrzyni metamorfozy.

– A jajka to gdzie kupujesz? Takie piękne jajka. Podwójne żółtko w moim było – mówi jedna kumoszka smakoszka.

No wiadomo, że nie w markecie, nigdy bym w markecie jajek nie kupiła, mówi gospodyni. Dobra gospodyni smaczne jadło czyni. Ani ja! Ani ja, jajkom z marketu wszystkie mówimy nie! Wrzeszczą wszystkie i oczami wywracają na samą myśl o jajkach z marketu. Wspólnota. Cudnie. Mam taką babę znajomą na Kleparzu, zawsze tylko od niej jajka kupuję, stwierdza dobra gospodyni. Raz kupiłam w markecie, w takim niebieskim pudełku, nigdy tego nie róbcie, nigdy w niebieskim pudełku, okropnie śmierdziały. Trzymają te kury nie wiadomo gdzie, do jedzenia im dają nie wiadomo co, potem jajka śmierdzą. Na to się zgodzić nie możemy, wołają dobre gospodynie. Soli i chleba w domu potrzeba. Świeża woda najlepsza ochłoda, mówi młoda kuchareczka, zwinna jak laleczka. Wkładajcie już te brownies, od razu trzeba włożyć, jak temperatura jest odpowiednia.

— Może coś zjesz? — przypomina sobie o mnie Magda. Przypomina sobie i po matczynemu przygarnia mnie dłonią uzbrojoną jeszcze w berło mikserowego mieszadła, z którego czekolada płynie na podłogę. — Nic nie jesz w ogóle. Coś się stało? Nie smakuje ci? Jak ja gotuję, każdemu smakuje. Rozciągające żołądek napisy z babcinych makatek. Kolorowe fartuchy z powcieranymi, zapomnianymi wałeczkami ciasta, z wypaloną dziurą po gorącej blasze z sernikiem, w serniku rodzynki. Jak masz jakieś zmartwienie — pociesza mnie życzliwie Beata — to najlepsza jest czekolada. Zostało tu trochę roztopionej, chcesz? I garnek mi podsuwa pod oczy, brązowy od środka, materiał dla policji, wszystkie linie papilarne wszystkich palców garnkowi pozostawiła.

– Nie mam żadnego zmartwienia.

– To też coś zjedz. Zdrowy człowiek ma apetyt. Są takie krople pobudzające apetyt, mój bratanek nie chciał jeść, jak był mały, to mu dawali i je normalnie. Albo rennie? Chcesz rennie już w porządku mój żołądku? Właśnie dlatego nie chcę mieć dzieci – powiedziała filozoficznie Iwonka – że pamiętam, ile się moja mama musiała namordować, żebym coś zjadła. Boję się, żeby moje dzieci tego po mnie nie odziedziczyły. Są takie dzieci, które w ogóle nie jedzą warzyw. I nie można ich przekonać. Albo takie, co jedzą tylko dwie rzeczy, na przykład chleb i parówki. Parówki? Przecież w parówkach jest okropne gówno, za nic bym dziecku nie dała parówek. Jak byłam mała – rozmarzyła się Ania – babcia mnie zabierała na długie spacery. Bo byłam chuda okropnie, a babcię miałam ambitną. Babcia ugniatała w słoiku biały ser ze śmietaną i cukrem, dodawała do tego owoce, i pokazywała mi świat. Zobacz, Aniu, kwiatuszek, zobacz, Aniu, motylek. Otwierałam buzię szeroko, bo mi się świat podobał, a babcia buch do buzi łyżkę z serem ze śmietaną. Babcie są najgorsze. Ale najlepsze do karmienia. Moja babcia dawała mi wodę z sokiem malinowym, i potem nie chciałam ani mleka, ani grysiku.

Ojciec mi musiał butelkę obwijać czerwonym papierem. Rozumiecie, czerwonym papierem. I tak się nie dawałam nabrać. Dziewczyny, na te brownies trzeba będzie trochę zaczekać. To co teraz robimy?

Scrabble. Zwierzenia łóżkowe. Użalanie się nad sobą chociaż. Gry salonowe. Co ostatnio czytałam. Nawet o pracy, niech tam. Mój szef to gnojek, moja szefowa to krowa. Spotkałam się niedawno z. Byłam na spektaklu o. Widziałam wystawę tego. Kupiłam sobie nowe buty. Może w buty chociaż pójdą. Trzabyć wbutach nawe selu.

– Przecież miałyśmy robić owoce pod kruszonką jeszcze.

Przypomniały sobie, święty Jacku z pierogami. Owoce pod kruszonką, owoce pod kruszonką, zaśpiewała Ania lub Ania. Kruszonkę już wcześniej zrobiłam, owoce tylko musicie przygotować, rozdaje zadania dobra gospodyni, dobra żona tem się chlubi, że gotuje, co mąż lubi. Owoce pod kruszonką, owoce przygotować! I rzuciły się paluchami, jęzorami do owoców. Czerwone porzeczki z maleńkimi czarnymi pomponikami pękały w ich paznokciach. Chciwie zbierały wargami różowe sutki malin, odkręcały korony szypułek truskawkom. Przebierały korale owoców jak różańce, szepcząc słodkie modlitwy jadalnego staropanieństwa. Nikt was między palcami nie przebiera, nikt z waszego powodu mniam nie robi, nikomu wasza czerwień warg i paznokci.

– To może jeszcze jedną herbatę ci zrobić? Jaką teraz, liczikarmelowąwaniliowącytrynową? Poproszę. Ty się chyba naprawdę źle czujesz, nic nie zjadłaś. Jak ktoś nic nie je, źle się czuje, wiadomo. Karolina, herbaty zrób jeszcze, korali malin na chwilę nie przebieraj. Aniu i Aniu, herbatki dla naszej chorej, dla naszego pacjenta bez apetytu. Brownies zaraz będą, chcesz brownies? Musisz spróbować brownies, jak Magda zrobi brownies, to żadne brownies do jej brownies się nie umywają. Nie wypuszczę cię bez moich brownies. Chociaż spróbujesz. Albo zjedz owoce pod kruszonką. Z lodami będą. Z czekoladowymiwaniliowymimalinowymi. Lody najlepsze są na poprawę humoru. Bo ty chyba jesteś niewsosie. Przyznaj się, jesteś niewsosie? Gdzie ta herbata, dziewczyny, no? Niewsosie jesteś od początku, tak, niewsosie?

Chyba już pójdę. Chyba już czas na mnie, mówię oblepionym palcom, unurzanym widelcom, szypułkom niezawiązanym w owoc, czekoladowym językiem nie umiem. Jakoś tak mi nie w smak. Jestem chyba niewsosie. Muszę rennie czy coś. Melisę może.

– Chyba już pójdę.

– Dlaczego chcesz iść? – Magda się wyraźnie martwi, nawet od piekarnika wstała, brownie rośnięcie przestała podglądać. – Przecież dopiero przyszłaś. I nic nie zjadłaś. Zaraz będą owoce pod kruszonką. Z lodami. Chociaż na owoce pod kruszonką poczekaj.

– Nie mogę. Naprawdę muszę już iść.

– To chociaż przepis ci dam w domu sobie zrobisz z lodami czekoladowaniliomalinowymi przepis weź przepis weź jakże to tak nieładnie to tak bez przepisu wychodzić nic nie jadła nic nie piła bez przepisu chce wyjść chociaż przepis weź chociaż przepis z tego życia miej przepis przepisz bo życie jest krótkie i do dupy ouueeee przepis weź w domu zrobisz soli i chleba w domu potrzeba i owoców pod kruszonką wiadomo owoce pod kruszonką z lodami tylko pamiętaj trzeba mieć cukier demerara do owoców pod kruszonką cóż to za owoce pod kruszonką bez cukru demerara takie owoce jak życie do dupy naprawdę nie chcesz może jednak dasz się namówić gdzie jest długopis dajcie długopis w domu sobie zrobisz owoce pod kruszonką bo życie jest do dupy napiszę ci przepis.

Długopisem. Widelcem się nie da napisać. Ani mikserowym mieszadłem. Pisakiem lukrowym na torcie da się napisać, ale nie będę prowokować. Długopis. Gdzie jest długopis.

Wyszłam. Zaczerpnęłam powietrza. Pod bramą obok wymiotował jakiś szczęśliwy Rzymianin.

Przepis na owoce pod kruszonką. Pod pierzynką kruszonki. Kruszonkę robisz z mąki. Pół łyżeczki proszku do pieczenia, do pieczenia, do pieczenia. Masło pokrój w kostkę, w kubiki, równiusieńkie, geometria przestrzenna ozdobą każdej kuchni. I cukier demerara, nikt nie wie, co to jest, ale jak brzmi. Słodki cukier demerara. Zagnieć i do lodówki. Tam mu będzie zimno, zamieni się w kruszonkę. Trzeba zmarznąć, żeby skruszeć.

A teraz owoce. Policz fioletowe paciorki jagód, czerwone korale porzeczek. Pocałuj maliny, pocałuj, bo szybko spadają i nie są na zawsze. Wiesz, że kiedyś słowo jagody oznaczało policzki? Przytul wiśnię do policzka, jest gładka jak policzek. Ułóż obraz z owoców. Możesz ułożyć strach, jeśli się boisz, albo radość, jeśli masz powód. Albo niczego nie układaj, gdy nie masz nic owocami do powiedzenia. Posyp owoce cukrem waniliowym. Będą słodsze niż na krzaku, niż na drzewie. Człowiek ma ulepszać świat.

Piekarnik rozgrzej mocno, mocno, 220 stopni, jakby ciebie tak włożyć, to minuta i po robocie, a owocom pod kruszonką nic się nie stanie. Wnioski wyciągnij. Smacznego.

Szkoda

– Dzień dobry.

– Dzień dobry.

No nie. Człowiek niepotrzebnie odruchowo na dzień dobry odpowiada. Nie zastanawia się wcale, komu odpowiedział, dzień dobry dzień dobry, sprawa zakończona. A tu chłopczyk. Chłopczyk, co dzień dobry nigdy nie powiedział, nagle dzień dobry mówi. Nigdy wcześniej nie mówił. Nigdy. Mieszka tu już chyba ze cztery lata, jeśli nie pięć, i żaden dzień z tych dni nie był widocznie wystarczająco dobry, żeby się chłopczyk odezwał. Butki tylko przed drzwiami równiutko ustawia, każdego roku kolejnego takie same czarne butki byłego studencika ekonomika, teraz zapewne pracownika banku, zresztą skąd mogę wiedzieć, jeśli chłopczyk przez te lata pary z gęby nie puścił, gdzie studiuje, gdzie pracuje, a tu nagle dzień dobry. Jakiś wyjątkowo dobry chyba. Muszę zwrócić uwagę.

Winda szumi gdzieś w dole. Podjeżdża. Długą drogę ma ta winda, na piętnastym piętrze mieszkam. I chłopczyk na piętnastym piętrze mieszka, mieszka i mieszka, a dzień dobry nie mówi. Ja na początku mówiłam, ale zaprzestałam, do dzień dobry z echem jestem przyzwyczajona, skoro chłopczyk nie odpowiadał, to może nie chciał, może mu dni niedobre były, przykrość mu sprawiało, gdy ktoś mówi, że dobre, skoro jemu niedobre. Chłopczykowi. Może niemowa. Może nie Polak, tylu teraz studencików obcokrajowych, chociaż ten nie wyglądał. Wyglądał raczej na polskiego studencika, co to z małego miasteczka przyjechał do dużego miasteczka postudencikować, nosa zadziera i dzień dobry nie będzie mówił. A może koszmarnie się jąka i w najgorszych snach tylko na dzień dobry musi odpowiedzieć, i boi się, że jak zacznie dzień dobry na piętnastym, to skończy na parterze. No to nie mówiłam. I lata nam płynęły z chłopczykiem niedzieńdobrym, butki ustawiał, nie studencikował jakoś wyraziście, w czasach zakazanych zabaw hucznych nie urządzał, o siedemnastej wracał do domku swojego chłopczykowego, gdzie zapewne wszystko miał tak poustawiane jak butki, i tyle. Cukru nie pożyczał. Muzyki nie słuchał. Z balkonu nie kiepował. Paczki do niego nie przychodziły. Dziewczyny też do niego nie przychodziły.

Aż tu dzień dobry nagle. Pogoda normalna. Godzina normalna. Chłopczyk wygląda jak zwykle, koszulkę ma wyprasowaną, spodenki ma z kancikami, koszulkę ma w spodenki równiutko wsadzoną. I ma paseczek.

Z klamrą srebrną, taką zabudowaną, kowbojską trochę. Obrzydliwie wygląda. Czyli normalnie, po chłopczykowemu. Nie widać po nim żadnej nagłej pasji, żadnej zmiany charakteru, żadnego udanego seksu czy podwyżki w pracy. Dzień dobry. Powiedział dzień dobry. I ja odpowiedziałam. Winda się zatrzymuje. Jakże ja teraz z chłopczykiem pojadę po dzień dobry, po takim preludium.

Nie mogę pojechać. Wrócę po coś. Udam, że nie wiem, czy drzwi zamknęłam. Ale winda już się przed nami otwiera, automatycznie mnie z chłopczykiem zaprasza do wspólnego zjazdu. Nie mogę. Dzień dobry mi powiedział, nie mogę z nim pojechać.

Chłopczyk czeka. Wsiadam. Muszę. Totalny brak pretekstu. Mam czas, mogłabym pojechać następną, pozwolić chłopczykowi przemyśleć sobie w samotności swoje dzień dobry. Ale chłopczyk czeka. Wsiadam. Muszę. Stajemy po europejsku, naprzeciwko siebie, jak na metrowym ringu. Zbyt blisko. Dzień dobry powiedział, żeby się tylko nie chciał bardziej zbliżać. W windzie zwykle udaje się obcość i dobrze to wszystkim wychodzi, oglądają sobie guziki pięter, dumają nad zmiennością przeskakujących cyfr, jakby się właśnie dowiadywali, że po trzech jest cztery, po czterech pięć, wyciągają klucze z kieszeni i torebek, sprawdzają komórki, czy nie ma zasięgu, chociaż wiadomo, że w naszej windzie nie ma zasięgu.

Winda z piętnastego na parter zjeżdża prawie minutę. Może nawet dłużej. Nigdy nie liczyłam. Dzisiaj chyba policzę, ile sekund z chłopczykiem po dzień dobry wytrzymałam. Jak się ktoś nie daj boże dosiądzie, to będzie jeszcze dłużej, chociaż może między mnie i chłopczyka się wepchnie, żeby się chłopczyk nie zbliżał. Na dodatek wszędzie lustra, na trzech ścianach lustra, chłopczykiem mi się trzykrotnie odbija, częściami różnymi chłopczyka, tu jego uszko chłopczykowe umyte, tu włoski przylizane, tu włoski z tyłu, lewy rękaw koszulki, prawy rękaw koszulki. Chłopczyk zewsząd. Żeby było jak zawsze, żeby się nie odezwał, nawet bym nie zauważyła, że w dół zjeżdżamy, w dół.

Chłopczyk naciska parter. Paluszki ma długie i czyściutkie, a jakże.

– A ja miałem szkodę.

Drzwi się zamykają. Koniec. A chłopczyk na mnie patrzy. Nie na mnie właściwie, półbokiem jakoś tak się zwrócił do mojego odbicia w lustrze, i mówi do niego. I już czuję, że nic mi to nie da, że się w młodości tylu filmów naoglądałam, w których Clint Eastwood, Steve McQueen czy Tim Robbins uciekają z więzienia. Trzeba było ćwiczyć, nie podziwiać.

– Szkodę miałem. Parkingową. Kupiłem z bratem auto, na handel, znaczy na sprzedaż. Wczoraj rano brat przywiózł, bo miałem tu kupca w Krakowie.

Do kroćset. Zdanie złożone.

– Srebrny volkswagen. Przebiegu ma tylko osiemdziesiąt, koni sto trzydzieści, dobrą cenę nam zaproponowano.

Które to piętro? Jedenaste. Co mnie obchodzi jakiś przebieg i konie? Ta winda powinna więcej koni mieć, chłopczyk też ma prawdopodobnie więcej koni, niż się po nim spodziewałam, bardzo szybko zaczął mówić i już chyba jest na czwartym biegu. Będę miała nauczkę, nigdy już nie odpowiem na dzień dobry. Dziewiąte.

– Pod blokiem go postawiliśmy, poszliśmy na górę pogadać, schodzę potem po południu, a na lakierze z boku kreska zielona. Zielona! No jakżeż można na srebrnym metaliku zielonej kreski nie zauważyć. Przez drzwi z prawej strony, przednie i tylne, zielona kreska. Zielona normalnie jak trawa na wiosnę, zielona jak liście tulipana.

Poeta. Porównania włączył. Siódme dopiero. Już bliżej niż dalej. Patrzę na chłopczyka w lustrze, na jego twarzyczkę przejętą, aż wypieków dostał od tych porównań. Na ziemię, na ziemię, proszę.

– Dzwonię do brata, pytam, czy była kreska zielona jak tulipanowe liście na metaliku srebrnym z prawej strony. A brat mówi, czyś ty ochujał, przecież ja bym kreskę zieloną na srebrnym metaliku z prawej strony zauważył! Przepraszam za wyrażenie, ale tak brat powiedział. Ochujał. Bo się zdenerwował. I przyjechał zaraz kreskę obejrzeć. I mówi, no jest kreska zielona na srebrnym metaliku z prawej strony, przez całe drzwi, przednie i tylne. I jak my to teraz sprzedamy, kupiec ma jutro przyjechać, przebieg taki niski, a tu kreska zielona tulipanowa.

Wzdycham. Wzdycham, bo mi duszno, nie zrozum tego westchnienia, chłopczyku, jako wyrazu współczucia, gdzieś mam twoje auto, choćby miało kreski we wszystkich kolorach tęczy, po prostu mi duszno. Czuję lekkie szarpnięcie, leciutkie, i winda się zatrzymuje. Chłopczyk już nie patrzy na moje odbicie w lustrze, patrzy na mnie. Czwarte. Właściwie czwarte już chyba przejechaliśmy, a więc w połowie drogi między czwartym a trzecim. Można by było nawet wyskoczyć, tylko nie ma okna.

Chwilę stoimy i patrzymy na siebie. Przepycham się obok chłopczyka, żeby tylko nie mieć go z tyłu, za plecami, i naciskam na chybił trafił różne guziki. Jedenaście. Parter. Piętnaście. Cztery. Parter. Gdy się naciśnie pięć przycisków, wszystkie gasną. Już nigdzie nie jedziemy. Naciskam jeszcze raz parter, żeby nie było wątpliwości co do moich intencji, a potem znajduję guzik z dzwonkiem. Alarm wydaje z siebie przeciągłe, ostre brzęczenie. Ale chłopczyk się nie wystraszył w ogóle brzęczenia, zatrzymania windy się nie przestraszył, bohater. Oparł się tylko wygodnie. Włoski z tyłu głowy przyklejają mu się do lustra.

– A czy tamto auto zielone jak tulipanowy liść nie było wcześniej koło naszego srebrnego volkswagena zaparkowane przypadkiem? Brat tak zapytał. Idziemy do tego auta, opel zielony, zieleń jakby podobna, ale już nie koło naszego zaparkowany, tylko dwa miejsca dalej. I oglądamy tego opla, ja i brat, a ten opel ma po lewej stronie na swojej zieleni srebrną farbę! Rozumie pani, srebrną farbę!

Jasne, że rozumiem. Godzinki sobie przypominam, jak pan Twardowski, gdy go diabły na księżyc niosły. Wszystkie modlitwy sobie zaraz przypomnę.

Naciskam guzik z dzwonkiem jeszcze raz. Dla pewności. Chociaż pewności już nie mam żadnej. Ostatnie dzień dobry w moim życiu. Miało być preludium, a jest uwertura. Cztery lata ciszy, może nawet pięć, a potem jedno dzień dobry i od razu katastrofa. Całe szczęście, że w windzie, jakby takiego chłopczyka w innym miejscu ustawić i dzień dobry mu kazać powiedzieć, to mógłby burze piaskowe zrywać, tajfunami władać, masowe samobójstwa organizować.

Sięgam po komórkę i przypominam sobie, że w windzie nie ma zasięgu. Nie ma zasięgu. Nikt nas tu nie dosięgnie, nie znajdzie. Dzwonek jeszcze raz. I jeszcze raz. Nie zamierzam do końca życia tkwić przecież w windzie z chłopczykiem i słuchać o jego koniach i zieleni liści tulipana. Wydostanę się, choćbym miała paznokciami blachę drzwi przeorać. Z kimś innym może bym i posiedziała, z Clintem Eastwoodem, zresztą on by znalazł zaraz jakiś sposób, ale chłopczyk? Chłopczyk oczy przymknął, czółko mu się troszkę zrosiło, ale nie bardzo, jeszcze się nie zmęczył.

– Jak ja go dorwę, to mu nogi z dupy powyrywam. Brat tak powiedział. O tamtym od opla zielonego, oczywiście. Nogi mu normalnie z dupy powyrywam. Ale jak go dorwiesz, pytam brata, przecież nie będziesz tu cały czas stał i czekał, aż on przyjdzie i do opla zielonego wsiądzie. Właśnie że będę, brat mówi, takie auto zmarnować, jaja mu w gardło wepchnę. Przepraszam, ale brat tak powiedział. Jaja w gardło. Chodź, mówię do brata, pojedziemy na górę, siądziemy sobie na balkonie i będziemy obserwować, a jak się gość zjawi, to się mu nogi powyrywa i jaja wepchnie. Nie nie, mówi brat, przecież ty mieszkasz na piętnastym, zanim my do windy wsiądziemy i zjedziemy na dół...

Niech to szlag. Niech to cholera jasna i nagła krew i wszyscy diabli.

– ...zanim my do windy wsiądziemy i zjedziemy na dół, to już będzie po gościu, odjedzie w siną dal swoim oplem zielonym, a my zostaniemy jak mokre gołębie na tym balkonie. Takie auto zmarnować. Na handel miało być, a tu szkoda parkingowa! Nie nie, my tu będziemy przed blokiem czekać. W klatce, dla niepoznaki, zaczaimy się. Warty rozpiszemy. Ja pierwszy stanę, a ty skoczysz na górę i herbatę mi w termosie przyniesiesz, i jajka na twardo i bułkę z ogórkiem i książkę, najlepiej grubą, ale ja temu gnojowi nie odpuszczę. I gwóźdź przynieś, jak się gość nie zjawi, to się na tym oplu przynajmniej podpiszemy. Za dwie godziny mnie zmienisz.

– Może pan też zacząć stukać w drzwi?

Chłopczyk robi minę, jakby go ktoś z wody wyjął.

– Co takiego?

– Może pan zacząć stukać? Od dziesięciu minut stukam, już mnie ręka boli. I krzyczę. Czy mógłby pan teraz trochę potłuc i pokrzyczeć? Może nas ktoś usłyszy. Niech mi pan już o tym aucie nie opowiada, tylko niech pan w drzwi tłucze. Ma pan zasięg tutaj?

– A właśnie, bo o aucie pani opowiadałem, tylko że pani tak... No i brat stanął na warcie pierwszy, książkę mu przyniosłem, wodę mineralną, bo chyba z tą herbatą żartował, w końcu ciepły dzień, na co komu herbata w termosie. Mój brat to umie zażartować, ale jak mu ktoś w drogę wejdzie, to nie chciałbym być na jego miejscu. A takiego wkurzonego jak wtedy, cośmy tę szkodę parkingową mieli, to jeszcze brata nie widziałem. Przyniosłem mu Umberto Eco, bo chciał grubą książkę, a ta była najgrubsza, no i brat czytał. A przez cały czas wkurzony. Ja nie czytałem tego wcześniej, ale mój brat czytał i mówi, że fajne, no to sobie czytaliśmy. Mój brat dużo czyta, wszystko chyba czyta. Łażą po tym klasztorze, ten ślepy im przeszkadza, trupy ciągle znajdują, a mój brat o tych trupach czyta na głos i widzę, że wkurzony jest coraz bardziej, obmyślał chyba jakiś sposób na tego faceta od opla. Potem poszedłem na górę po coś na kolację, bo się zrobiło późno, a brat się uparł, że gościa dorwie i w kadzi utopi albo na stosie spali. Zrobiłem kanapki, wracam, brat kanapkę ledwo nadgryzł i mówi, chyba mamy drania, do samochodu idzie, do opla zielonego wolnym kroczkiem podchodzi, kluczyki wyciąga, spokojniutki, bo nie wie, że brat kanapkę całą na raz przełknął, taki wkurzony.

Nie śpieszę się. Nigdzie się nie śpieszę. Mogłabym posiedzieć i pogadać. Tylko śmierci się boję przez uduszenie. Brakuje mi powietrza. Chłopczyk mi tlen zabiera monologiem swoim. Nie stuka. Nie krzyczy. Monologuje. W monologu się zatracił, świata poza swoim monologiem nie widzi, zresztą co tu oglądać, jeden metr kwadratowy do oglądania, chłopczykiem ograniczony, samochodem jego na handel, szkodą jego parkingową, bratem mordercą z kanapką w gardle.

Na sekundę gaśnie światło. Potem coś zaczyna szumieć, buczeć i odnoszę wrażenie, że opadamy. To znaczy ja opadam, chłopczyk się wznosi w monologu swoim. Tak, opadamy, na chwilę przed uduszeniem, na moment przed śmiercią z powodu nierozważnego dzień dobry, opadamy jednak. Trzecie. Drugie.

– Brat miał rację. To był ten facet od opla. Wyciąga kluczyki, opel zielony tulipanowy do kluczyków mu się odzywa, ale wsiąść to on sobie nie wsiądzie, ruszyć to on nie ruszy, bo już mój brat nadchodzi, elegancko, bo on zawsze zaczyna elegancko, a potem to już jest różnie, czy to pana samochód, brat pyta. Mój, a bo co, odpowiada ten facet. A bo myśmy tu z bratem, mówi brat, mieli szkodę parkingową i taki zielony lakier nam został na drzwiach, na volkswagenie srebrnym metaliku. A co mnie to gówno może obchodzić, proszę pana, mówi ten od opla tulipanową zielenią zielonego, i już widzę, jak mój brat siekierę w myślach ostrzy, ale nic, on długo czeka, on ma czas. A to pana może akurat obchodzić, mówi brat, ponieważ pana opel poprzednio był zaparkowany koło naszego volkswagena srebrnego metalika, a potem dwa miejsca dalej, a kolorek zielony tulipanowy na drzwiach został, więc tak sobie pomyślałem, że to pana może obchodzić. Niech mi pan głowy nie zawraca jakimś volkswagenem srebrnym metalikiem, mówi tamten, śpieszę się, i do auta chce wsiadać. A to się akurat bratu nie spodobało, bo brat dopiero zaczął rozmawiać i nie lubi, jak ktoś się śpieszy wtedy. Zaraz na tym zielonym oplu swój mózg zobaczysz oraz trzustkę, kłamco i prostaku, mówi brat...

Winda zatrzymuje się spokojnie, jakby nic się nie stało, jakby nikt na dzień dobry niefortunnie nie odpowiedział, jakby nikt nikogo nie chciał zabić, jakby nikt nikomu nic zielonego na srebrnym. Za drzwiami windy stoi starszy, łysiejący pan w koszuli w kratę, i mierzy w nas kluczem francuskim.

– I już po kłopocie. Długo chyba nie siedzieliście. Akurat byłem w pobliżu, to zaraz przyjechałem. Się kurna zacinają, co zrobić.

Ominęłam pana i jego klucz francuski najszerszym łukiem, na jaki mogłam się zdobyć po latach niewoli, nieładnie tak, ani dzień dobry ani dziękuję zbawcy nie powiedzieć, ale ja już się będę miłych słówek wystrzegać, oj, będę. Klatka. Drzwi. Powietrze. Zaraz mi wolność poda skrzydła. Chłopczyk za mną biegnie, bucikami wypastowanymi skrzypi, drzwi mi przytrzymuje. Patrzy na mnie, wzrok ma nieprzytomny, rozogniony, jak w gorączce, kołnierzyk koszulki mu się zawinął, co też ty zrobisz, chłopczyku, z kołnierzykiem swoim, zabiliście tego faceta, czy nie zabiliście, Grunwald mu czy Wiedeń na oplu wymalowaliście, kolor mózgu pasował do tulipanowej zieleni, czy zgrzytał niemiło, szkodą mu zapłaciliście za szkodę, czy butki musiałeś wypastować, bo we krwi się utaplały, czy koszulka w zimnej wodzie wypłukana, czy zęby temu facetowi w bagażniku jego opla do tej pory dzwonią, czy z jąder mu zrobiliście brelok na lusterko, a żyłami kierownicę opletliście równo? Czemu nie mówisz?

– Do widzenia – mówi chłopczyk, mój sąsiad z piętnastego piętra.

O nie. Na pewno nie.

Każdy kot

I

Być może go przekarmiliśmy. Trudno stwierdzić, nie mamy doświadczenia, może zjadł coś, czego nie powinien, widziałam, że ogryzał kwiatki, ale przecież gdyby mu to szkodziło, nie powinni mieć tych kwiatków w domu. Ale może zjadł coś innego. Może woda z kranu. Może za ciepło, nie wiem. Przez dwa dni wszystko było w porządku, najpierw siedział pod kanapą, potem nawet wychodził i dawał się pogłaskać, otarł się o moją nogę i to było przyjemne, mogłabym go nawet polubić, w zasadzie mogłabym, gdyby nie to, że dziś rano prawie w niego wlazłam. Leżał pod drzwiami, język wywalony, sierść jakaś taka dziwna, spocona, dotknęłam go niechcący butem i zrobiło mi się niedobrze, wydawało mi się, że powinien być sztywny, ale gdy Olo go podniósł, cztery łapy przelały mu się przez ręce jak nieudane ciasto. Zatrzasnęłam za nimi drzwi, za Olem i truchłem, Olo wyszedł za chwilę na klatkę schodową i chciał mnie dotknąć, bo wisiałam głową w dół i byłam pewna, że zaraz zwymiotuję, przestań, powiedział Olo, przecież to tylko zwierzę, chciał mnie pogłaskać, ale odsunęłam się od niego i chyba zrozumiał, że nie mogę, nie dam rady pozwolić się pogłaskać rękom, które przed chwilą trzymały tego małego, miękkiego trupa, czekającego na nas tuż pod drzwiami jak nieśmieszna niespodzianka. Przestań, powiedział Olo, idź do domu, przynieś coś, jakieś pudełko, ja go schowam i wejdziemy, dobrze? Schowam go, żebyś nie musiała patrzeć, tak, Olo, kochanie, bądź tak dobry i schowaj do pudełka śmierć na czterech miękkich łapach, zawiń śmierci ogonek, żeby nie wystawał, a ja się już napatrzyłam, zobaczyłam już i będę widzieć jeszcze przez kilka dni, choćbym przed snem czytała same wesołe historie.

Olo krzątał się po mieszkaniu, schował gdzieś tekturową trumienkę po moich nowych butach, żebym widziała tylko wtedy, gdy zamknę oczy; stałam na środku pokoju jak głupia, nie wiedziałam, co dalej. Olo ciągle miał jakieś dalej i dalej, długo mył ręce, potem chodził i obszukiwał wszystkie kąty, węszył i sprawdzał, może go przekarmiliśmy, ale przecież dostał wczoraj wieczorem tyle, co zwykle, mówili nam, że to jest karma, którą zna i lubi. Może zjadł coś nieświeżego, Olo otwarł szafkę pod zlewem i zajrzał do kosza na śmieci, Olo, pomyśl, przecież szafka była zamknięta, zostawiliśmy zamkniętą szafkę, zostawiliśmy otwartą łazienkę, żeby mógł się dostać do kuwety, tak? Zostawiliśmy mu świeżą wodę w misce, Olo, co my teraz zrobimy? Okno było rozszczelnione, miał świeże powietrze, kwiatki na oknach nienaruszone, śmieci zamknięte, niczego nie pogryzł, nie ma śladów, nie ma żadnych śladów, dobrze się nim zajmowaliśmy, zaufali nam, Olo, zaufali, on się wczoraj otarł o moje nogi, a dzisiaj w niego weszłam, leżał tuż za drzwiami, Olo, wziąłeś go na ręce i wsadziłeś do pudełka, co my teraz zrobimy, Olo, do cholery jasnej, co my teraz zrobimy? Nie krzycz, powiedział Olo, trzeba go gdzieś zakopać, zanim zacznie śmierdzieć.

Olo wrócił po dwóch godzinach. Usiadł przy stole i włączył komputer. Olo, powiedziałam, przecież on nie żyje, co z nim zrobiłeś, on umarł, zdechł, co teraz, Olo, trzeba do nich zadzwonić, powiedzieć jakoś, trzeba będzie powiedzieć. Może to się da załatwić, może inaczej, chodź, usiadłam obok niego, jest dużo kotów do adopcji, do kupienia, trzeba poszukać w Internecie, jakaś hodowla, pamiętasz, jaka to była rasa? Olo, o czym ty mówisz, przecież trzeba im powiedzieć. Damy radę, Olo otwierał kolejne strony, pers, tak, to był pers, kot perski. Olo, przestań, powiedziałam, przecież to jest nienormalne, co ty chcesz zrobić? Trzeba to załatwić, Olo popatrzył na mnie, trzeba to załatwić i tyle, pomóż mi. Może ten, zobacz. Nie, tamten był popielaty, nie czarny. I większy. Drogie te koty jak cholera. Możesz mi zrobić kanapkę? Olo, proszę, trzeba im powiedzieć.

A ten? Nie, zbyt jasny, tamten był ciemniejszy, Olo, proszę cię. A ten, zobacz? Podobny, ale za gruby, tamten
nie był taki gruby. Co ty gadasz, zdenerwował się Olo,
nawet mu się nie zdążyłaś przyjrzeć, ten jest identyczny,
kropka w kropkę, i do wzięcia za darmo.

Czemu pani jest taka zdenerwowana, spytała starsza kobieta, która otworzyła nam drzwi. Do zwierząt trzeba
podchodzić spokojnie. Na podłodze pełno było sierści,
dwa spasione kocury nawet się nie podniosły z fotela.
Muszę je oddać, przeprowadzam się do syna, a synowa
nie chce kotów, no i tak. To jest Feliks, a to Franciszek.
Może pani weźmie Franciszka, jest młodszy. A najchęt-
niej oba, razem się wychowały, byłabym taka zadowolona. Chcemy tego szarego, powiedział Olo. A może oba
byście państwo wzięli, przymilała się starsza pani, ja nie
chcę pieniędzy, żeby tylko koty w dobre ręce trafiły, tylko szarego, powtórzył Olo. Przecież on nawet nie jest
podobny, zaczęłam, oj nie przesadzaj, bardzo podobny,
widzi pani, kot nam zdechł i żona koniecznie chce podobnego. Tak mi przykro, powiedziała serdecznie starsza pani, a jak miał na imię? Koty się dobrze chowają,
kiedy mają ludzkie imiona. Był na coś chory? Nie, skąd,
po prostu zdechł i tyle. To my weźmiemy szarego. Mamy nawet takie coś. Transporter, ucieszyła się pani, to
dobrze, Feliks nie lubi jeździć samochodem. Nie lubi

też ryb. Najbardziej wołowinę. I wątróbkę. Trzeba mu drobno pokroić. Oczy zaszły jej łzami, kiedy podawała nam Feliksa. Nie chciał wejść do transportera i Olo musiał go na siłę wepchnąć, na szczęście kobieta odwróciła się do okna i dała tylko znać ręką, żebyśmy wyszli.

To się nie uda, Olo, to się na pewno nie uda, wszystko za szybko, jeden za szybko umarł, drugiego za szybko wzięliśmy. Sąsiedzi wracają w niedzielę, za szybko. Olo zatrzymał się gwałtownie na światłach, Feliks uderzył o ściankę transportera i fuknął z głębi, niezadowolony. Co za szybko, dzisiaj jest środa, jak za szybko. Chciałbym, żebyś mi pomogła, żebyś stanęła po mojej stronie, trudno mi samemu to wszystko ogarnąć, wiesz? Zrozum. Przecież oni się zorientują, Olo, mieli tego kota kilka lat, pomyśl, czy ty byś się nie zorientował, masz kota od kilku lat i nagle. Tak myślisz, parsknął Olo, a jeśli on ciągle siedział pod tapczanem albo im uciekał? Olo, nie bądź głupi, ten kot jest grubszy. To się przyznam, że go przekarmiłem, wielkie rzeczy. A jeśli nie będzie reagował na imię, jak tamten miał w ogóle na imię, tamten, którego zabrałeś, gdzie ty go właściwie zabrałeś. Nie wiem, Olo udawał, że się skupia na kierowaniu samochodem, a ja trzymałam na kolanach transporter z Feliksem, który szukał wyjścia, jakie to ma znaczenie, koty i tak nie przychodzą, jak się je woła, koty mają wszystko wybitnie w dupie, a ludzi szczególnie, niepotrzebnie się przejmujesz. A wątróbka? Tamten za żadne skarby świata, kotom się smaki zmieniają, powiedział Olo. Podobno.

Feliks wyskoczył na podłogę wściekły, ale zgłupiał, gdy tylko się zorientował, że jest w innym domu. Obwąchał całe mieszkanie dookoła, obszedł kąty jak mierniczy z taśmą, Feliks, pochyliłam się nad nim, Feliks, ratuj, wyciągnęłam do niego rękę, ale ugryzł mnie natychmiast. Nie wiemy nawet, czy on jest szczepiony, powiedziałam, zaklejając plastrem czerwone ślady, ależ oczywiście, że jest szczepiony, wszystkie koty się szczepi, a te rasowe od razu. Proszę, ile ty wiesz o kotach, odgryzłam się, pan weterynarz. Popatrz, jaki jest mądry, z podziwem stwierdził Olo. Feliks wgramolił się do kuwety i przykucnął. Dobrze wychowany kot. Rasowy, noblesse oblige. Ale nie musisz tak żwirku rozrzucać, prawda, mądralo? Olo, oni się zaraz zorientują, może zadzwonisz i im powiesz. Sama zadzwoń, jeśli masz tyle odwagi, zresztą nie zorientują się wcale, popatrz, już wie, gdzie jest micha. Szliśmy ślad w ślad za Feliksem, oglądając jego kocim spojrzeniem cudze mieszkanie. I co, dobre, Feliks? Nie mów do niego Feliks, teraz musi mieć na imię inaczej. Mądry kotek, mądry.

Zrozum nas, Feliks, pomyślałam, proszę, bądź mądry i zrozum, ale Feliks zjadł kilka kocich chrupek i wszedł pod łóżko. Jest inny, powiedziałam, jest zupełnie inny, ma dłuższe wąsy i jest ciemniejszy. Przecież mówiłaś, że jaśniejszy. Nie, ja właśnie mówiłam, że ciemniejszy. Damy radę, prawda, Feliks? Feliks znalazł pod łóżkiem coś do drapania i zajął się tym tak zawzięcie, że na pewno nie usłyszał, jak Olo mówi łagodnie do niego, bo chyba nie do mnie, będzie dobrze, zobaczysz.

Ale nie było. Następnego dnia karma walała się po całej podłodze w kuchni, miska leżała do góry dnem, kuweta była rozgrzebana jak łóżko nowożeńców, a z parapetu, zasłanego ziemią, patrzyły na nas ogłupiałe, wyciągnięte z doniczek nie wiem jakim sposobem, kaktusy. Uprałam i rozwiesiłam na balkonie zarzyganą narzutę na łóżko. Ułożyłam na półce wywrócone książki w kolejności, którą uznałam za prawdopodobną. Olo siekał drobno wątróbkę i klął pod nosem. Feliks rozłożył się na odsłoniętej pościeli i podnosił łapę z obnażonymi pazurami, ilekroć któreś z nas próbowało się zbliżyć. Nie denerwuj się, powiedział Olo, chyba do mnie, bo przecież nie do Feliksa, mamy jeszcze kilka dni. Tapety całe. Sukces.

Feliks zeżarł wątróbkę i poszedł spać. Może pójdziemy do kina, zaproponował Olo. Może grają jakiś film o ludziach. To się nie uda, zobaczysz. Trzeba przygotować sobie w głowach, co im powiemy, jak się wytłumaczymy, trzeba to wiedzieć wcześniej. Mam już dość niespodzianek.

W piątek Feliks odpieprzył się wreszcie od kaktusów. W sobotę zjadł suchą karmę i pozwolił Olowi położyć sobie rękę na głowie. Kiedy wychodziliśmy, przeszedł między moimi nogami, jakby sobie przypomniał, że może już wypada być kotem i otrzeć się o człowieka, ale zmienił zdanie. Spojrzałam mu w oczy. Innego koloru, nie da się ukryć, zupełnie innego koloru.

Musimy iść, powiedziałam do Ola, musimy, zawsze nas zapraszają i zawsze przychodzimy, jeśli nie przyjdziemy, to będzie dziwnie. Wtedy dopiero będzie dziwnie. Choć już jest dziwnie w zasadzie. Dlatego trzeba iść, wypić z nimi wino, zachwycić się opalenizną i zdjęciami, no tak, westchnął Olo, zdjęcia robione przez Pawła, najbardziej gówniane zdjęcia świata. Ale za to najdroższym aparatem. Trzeba iść, przecierpieć zdjęcia, wino na pewno będzie dobre, trzeba wypić wino, którego się nawarzyło, i spojrzeć prawdzie w oczy. Jakiej prawdzie, co ty pieprzysz, uniósł się Olo, kot jest na miejscu, tam, gdzie ma być, i tyle. Za dużo mnie to nerwów kosztowało, żebyś teraz miała wszystko zepsuć. Ale oni zauważyli, Olo, na pewno się zorientowali, idziemy na ścięcie. Gówno się zorientowali, jakby się zorientowali, toby zadzwonili wczoraj alboby od razu powiedzieli, kiedy im oddawałem klucze. Nie pij za dużo, proszę cię.

Feliks miauknął konfidencjonalnie do Ola, potem wskoczył mu na kolana i pozwolił chwilę pogłaskać się pod brodą. Widzę, że cię polubił. Monika była opalona i chudsza, Paweł zorganizował pokaz slajdów i wywód na temat nowoczesnych funkcji, jakie posiada jego najdroższy aparat. Wykład był zaiste konieczny, ponieważ slajdy stanowiły przykład, jak żadnej z tych funkcji nie wykorzystać, a spieprzyć przy tym krajobrazy Ameryki Południowej. Wino dobre, naprawdę dobre. Kot był inny. Paweł miał oczywiście prawo nie zauważyć tego swoim fotograficznym okiem, ale Monika powinna. Skoro zauważyła, że szturcham Ola w bok, powinna zauważyć. Co Olo ma nam powiedzieć? Nic ważnego, Olo spojrzał na mnie z wyrzutem, zastanawialiśmy się, czy nie przekarmiliśmy kota, chyba zostawialiśmy mu za dużo jedzenia. Taki jakiś gruby się zrobił. Wydaje ci się, powiedział Paweł, stawiając na stole kolejną butelkę wina, zawsze był gruby. Czasem tyje, czasem chudnie, przyzwyczailiśmy się. Ale wygląda jakoś inaczej, nie sądzicie, spróbowałam. Inaczej niż kto? Nasz kot wygląda inaczej niż nasz kot, o co ci chodzi? Monika spojrzała na mnie ze szczerym zdziwieniem, Paweł zastanowił się, rzeczywiście, dzisiaj nie chciał ryby. Ja to zrobię, zadeklarował Olo, wbijając ze złością korkociąg, podobno kotom smaki się zmieniają po kastracji, tak słyszałem. Być może, ale myśmy go wykastrowali trzy lata temu. I jest jakiś ciemniejszy. Albo jaśniejszy. No w każdym razie jakiś dziwny. Przestań, powiedziała Monika, zawsze był dziwny, gruby i dziwny, koty wszystko mają w dupie, ludzi zwłaszcza. Skoro on ma ciebie w dupie i nas wszystkich, to naprawdę się nie musimy nim zajmować.

Jest inny, jest, powtarzałam, ale wszyscy już coś powtarzali, jedni to, w co naprawdę wierzyli, inni dla samego powtarzania, więc nikt mojego powtarzania nie słuchał, poza Feliksem, który nagle skądś wyszedł i zamanifestował głośnym miauknięciem, że miska pusta. Monika znalazła jego karmę i pół butelki whisky, bardzo chciałam jeszcze coś ważnego powiedzieć, coś naprawdę ważnego, co nie dawało mi spokoju, powiedzieć i powtórzyć dla pewności, ale Olo zaciągnął mnie do mieszkania, wcisnął w ogłupiałe ręce szczoteczkę do zębów, pomógł mi się rozebrać i wejść do łóżka, mój nieoceniony Olo, zawsze mogę na niego liczyć w trudnej sytuacji, Olo, zapytałam jeszcze znad brzegu huczącej przepaści, Olo, jak się nazywał ten kot, nie wiem, Monika go zawołała przecież, on co prawda nie przyszedł, bo ma nas w dupie, ale ona go zawołała, pamiętasz, jak się nazywał ten kot, ten prawdziwy, ten co wiesz, co się z nim stało, Olo, co się stało z tym kotem, co się stało. Śpij, powiedział Olo, śpij.

Przecież to widać gołym okiem. Grubszy, może być i grubszy, przekarmili go, chcieli dobrze. Chcieli, nie umieli. Nic wielkiego. Pobiega i schudnie. Ale nie przyszedł. Zawsze wstaje, gdy klucz zazgrzyta w zamku. Nic innego nie ściągnie go z fotela. Tylko klucz. Może jest obrażony, długo nas nie było. Może i obrażony, ale zawsze przychodził. Demonstrował swoją obrazę, miauczał głośno i udawał, że drapanie po brzuchu jest tanim przekupstwem. A teraz nie przyszedł. Siedział na łóżku i nawet się nie ruszył.

– Patrz, jaki grubas – powiedziała M. – Spasiony jak proboszcz. Hej, spaślaku, chcesz wątróbki?

Wyprężył się, ale nie zszedł z łóżka, jakbyśmy byli intruzami na jego terytorium. Wąsy my urosły.

– Zawsze miał takie długie. Może trochę posiwiał, ale przecież to już dorosły kot. Z tęsknoty posiwiałeś, tak? Pani nie było? – M. wyciągnęła do niego dłoń. Powąchał ją z rezerwą, czubkiem nosa. Żadnych dźwięków, żadnej radości ani pretensji, tylko zniesmaczone zdziwienie. Jakby był innym kotem. Całkiem innym. – No, już się nie gniewaj, przecież tylko tydzień pani nie było, tak? Zaraz sobie zjesz wątróbkę i się przeprosisz.

M. zaniosła go do kuchni i postawiła przy pełnej misce. Patrzyłem na niego, gdy jadł, elegancko, powoli, jak inny kot. I plamę na lewym boku miał mniejszą, słowo daję.

– Starzeje się pan kot, siwieje. Zresztą wcale mi się nie wydaje, żeby była większa. Pomóż mi rozpakować walizki.

Wrzuciłem brudne ubrania do kosza na pranie i poszedłem do sąsiadów. Olo otworzył mi w piżamie, co mnie zdziwiło, nigdy nie kładli się tak wcześnie. Pomruczał, że dziękuje za zaproszenie i że przyjdą jutro na wino, chętnie, ale na krótko, bo mają następnego dnia coś tam ważnego. Podał mi zapasowe klucze przez szparę w drzwiach. Ledwie zdążyłem go spytać, jak się miewa kot.

– Kot jak kot, no wiesz, twój kot ma mnie w dupie, wychodził z ukrycia dopiero wtedy, kiedy szliśmy do domu. Wołaliśmy go, szukaliśmy, nic z tego. Ale miska pusta, kupy zrobione, kwiatki ocalały, no to chyba w porządku, nie?

Tak, w porządku. Jadł. Kupę robił. Ale jest inny.

Nie chciał przyjść do nas wieczorem. Zwykle pakuje się ze mną do łóżka i nawołuje M., żeby się nie guzdrała w łazience. A dzisiaj kazał się prosić. W końcu łaskawie położył się obok nas, ugłaskany przez panią, pełną wyrzutów sumienia z powodu opuszczenia zwierzęcia na tydzień. Tylko na tydzień. Przecież tyle razy wyjeżdżaliśmy i nigdy nie był taki inny. I nie pozwolił się przykryć.

– Przecież jest gorąco. Wszystkim jest gorąco. Kotu też. Musi trochę pokazać, że tęsknił, prawda?

Kiedy wstałem, M. siedziała już w kuchni, ubrana, nad książką i talerzem z niedokończoną grzanką.

– Czy ty wiesz, że on mnie obudził o szóstej rano? Drapał w drzwi do łazienki, mimo że były otwarte. Dałam mu jeść i nie mogłam już później zasnąć.

Taka jesteś śliczna, pomyślałem, taka śliczna w swojej nieświadomości. W ramce naiwności. Tak łatwo cię okłamać, zwieść, każdemu od razu ufasz, i obcemu człowiekowi, i obcemu kotu.

– Nie rozumiem. Zupełnie nie rozumiem, co ty mówisz. Ani po co. Czyj to kot w takim razie? Jest w naszym mieszkaniu, tak? Mam go od lat, sprowadziłam się z nim do ciebie, on był przed tobą, kochanie, jak mogłabym go nie rozpoznać? Pomylić z innym kotem? Co ci w ogóle do głowy przychodzi?

Kot wskoczył na stół i zmrużył oczy. Ciepłe, miękkie światło padło na ciemną plamę na lewym boku.

– Może rzeczywiście jest grubszy, ale sąsiedzi go zawsze trochę przekarmiają. Dają mu na zapas, to się objada, no ale trudno od nich żądać, żeby przychodzili tu cztery razy dziennie. Zresztą i tak robią nam wielką przysługę, opiekują się nim za każdym razem, gdy wyjeżdżamy.

Inny zmrużył ślepia. Skąd się tu wziąłeś, inny kocie, kocie z wielką, ciemną plamą, kocie, który nie chce się przytulać do M. Skąd jesteś i dlaczego jesteś inny. Możesz sobie mrużyć oczy, ile chcesz, i tak są zielone, jasnozielone, ale na pewno nie złote. Mnie nie oszukasz.

– No to co, że nie chciał wątróbki? Przejedzony jest i tyle. Trochę go trzeba będzie odchudzić, mój kotek, mój cudny.

Inny pozwolił się jej pogłaskać po wielkiej plamie, wyciągnął na stole inne łapy i udawał, że drzemie i że nic go nie dotyczy. Że ma całą inność w dupie. Jak się tu znalazłeś. Jakim sposobem zająłeś czyjeś miejsce, spryciarzu. Może by ci zrobić oliwkowy test. Nasz kot uwielbiał oliwki. Nasz.

– Przestań, nie dawaj mu teraz oliwek, przecież wiesz, że nie powinien! Nie, kotek nie dostanie oliwki. Nie teraz.

Kotek w ogóle nie chciał oliwki. Ani teraz, ani potem. Bo to nie kotek. Zwierzę jakieś, nie wiadomo czyje, obce, inne, znikąd. Moja M., moja śliczna i głupiutka, kto ci kota podprowadził, kto podmienił, kto z naiwności twojej kpi.

– Upał jest, nie chce mu się ruszać. To oczywiste. Mnie się też nie chce. Może pójdziemy wieczorem na basen? Ach, przecież mają przyjść sąsiedzi. Przygotujesz zdjęcia? Może pokaz slajdów, co ty na to? Tylko bardzo cię proszę, żebyś nie wyjechał z jakimś głupim tekstem, że kot spasiony, że oliwek nie chce. Dobrze? Oni i tak wyświadczają nam wielką przysługę, pamiętaj. Wiesz, jaki sąsiad jest drażliwy. Żeby się nie obraził, proszę cię.

Ależ oczywiście. Żeby się tylko nie obraził. Chociaż tak naprawdę mam to wszystko w dupie. A ludzi szczególnie.

3

Wszystko było dobrze. Chodził sobie, jadł regularnie, kwiatki na oknie poskubał, ale nie bardzo inwazyjnie, kupy robił, wyrzucaliśmy do kibla i tyle. Żaden problem. Co to za problem z kotem.

Z martwym kotem znacznie gorzej. Już we wtorek wieczorem wydawał się jakiś niewyraźny, niekoci jakiś, ale myślałam, że to przez te upały cholerne. Otworzyłam okno, nalałam mu świeżej wody. Pozwolił się pogłaskać, ale bez entuzjazmu. Ech ty kocie, pomyślałam, gdzie ty mnie masz, tam i ja ciebie. A we środę rano prawie w niego weszłam, fuj. Leżał na środku przedpokoju. Wywalony jęzor, futro wygniecione, spocone, jakby go ktoś wyprał w pralce. Olo się wzdrygnął, on nie lubi truposzy, mnie wszystko jedno, ale zwierzęcia szkoda. Przyniosłam foliowe rękawiczki i pudełko po butach, na szczęście wystarczająco duże, ledwo się zmieścił. Rękawiczki wyrzuciłam. Olo pojechał gdzieś z pudełkiem, nie pytałam gdzie, nie chciałam wiedzieć.

No i kłopot. Nie żebym tego kota jakoś lubiła, on nas też unikał. Sąsiedzi zostawiali nam klucze, gdy gdzieś wyjeżdżali na dłużej, oni nam też podlewali kwiatki i odbierali przesyłki, listonosz już wiedział, samopomoc z czwartego piętra. A z kotem to nie było jakieś zadanie nie do ogarnięcia, świeża woda, trochę żarcia sypnąć, kupa z kuwety do kibla, zawołać dla zawołania kocie, koooocie, bo wiadomo było, że nie przyjdzie; na początku wołałam, myślałam, że byłoby miło, gdyby się przyszedł przytulić czy coś kociego zrobić. Szukałam go bezskutecznie. Przestałam szukać i wołać, pozwoliłam mu mieć nas, jak wszystkich ludzi, w dupie. Nie musi mi okazywać wdzięczności. Szacun nawet za niezależność. Ważne, że żre, kupę robi i żyje.

I kłopot tu właśnie następuje. Gdyż nie bardzo. Nawet wcale nie. Olo wrócił, usiadł obok mnie na kanapie i wtedy zdałam sobie sprawę, że cały czas tak siedzę, siedzę i siedzę, od wyjścia Ola z trupem w pudełku aż do powrotu Ola w innym podkoszulku, siedzę w pustym, bezkocim mieszkaniu; miałam się zastanawiać, co teraz zrobimy. Ale się nie zastanawiałam, tylko siedziałam.

Olo zaproponował, żeby pojechać do schroniska. Na komodzie stoi zdjęcie sąsiada z kotem, zabierz zdjęcie chociaż, jeśli niczego nie wymyśliłaś, powiedział Olo, może nam dadzą takiego nowego albo podobnego, kota,

nie sąsiada. Lepsze moje siedzenie i niemyślenie niż twoje głupie pomysły, Olo, czy ty zwariowałeś, do schroniska chcesz jechać, przecież trzeba to załatwić jakoś.
Właśnie załatwiam, Olo spojrzał na mnie z góry, sąsiad
mi łeb urwie, jak się dowie.

Taki kot, powiedziała pani w schronisku, rasowy kot,
piękny, takich raczej nie mamy, ale może wezmą państwo dachowca, dachowiec pręgowany też godzien miłości. Ja jednak wolałbym takiego kochać, wyznał Olo,
rasowego, jaka to rasa w ogóle. Kot brytyjski, pomogła
pani, arystokracja, ale dachowce inteligentniejsze. Nie-
trudno być inteligentniejszym od takiego arystokraty,
podsumował Olo, próbując się ułożyć w nagrzanym
samochodzie, płaska morda, durne spojrzenie, przestań, Olo, szkoda zwierzęcia, kot brytyjski, będzie za-
bawa, już to czuję.

Dawno nie widziałam u Ola takiej miny jak wtedy,
gdy wkroczył w arystokratyczne przestrzenie hodowców
kotów brytyjskich średnio inteligentnych. Daleko, musieliśmy napoić naszego biednego staruszka bez klima-
tyzacji na stacji benzynowej, a potem zaparkować go za
rogiem, żeby nie wzbudzić w nim poczucia zakłopota-
nia na widok ogromnego domu z podwójnym garażem.
A później kafelki srelki, minimalizm i przestrzenie, Olo
w koszulce z koncertu, ja w sukience i starych sandałach, a naprzeciw nas kocia pani w arystokratycznych
tiulach i trójwarstwowym, przeciwupalnym makijażu

oraz pan w koszulce polo. I Olo na to polo, mój Olo z głupią miną, ależ tak, koniecznie i absolutnie, chcieliśmy obejrzeć kocięta bydlęta, byleby były arystokratyczne, proszęż nas zaprowadzić, ależ chętnie, z rozkoszą. Pani w tiulach zaprowadziła mnie i Ola do specjalnego pokoju, gdzie specjalna kocia niania z dwoma fakultetami i językiem francuskim w stopniu zaawansowanym sprawowała pieczę nad kociętami, z których żadne zapewne w historii tego arystokratycznego rodu nie odwaliło kity pod drzwiami. Olo rzucił się z zachwytem między pachnące popielate kuleczki o płaskich nosach i arystokratycznie durnych spojrzeniach, zaczął wzdychać nad ich cudownym kuleczkowym życiem, na szczęście miałam głowę na karku i powiedziałam, że potrzebujemy dorosłego kota. Pani kocia wyznała, że kuleczki już są zarezerwowane, ale jeszcze nie do oddania (oddania! dwa tysiące za kuleczkę!), bo najpierw szczepienia badania kał mocz krótkość nosa, ale że przypadkiem zupełnie, ach ach, opatrzność nas sprowadza, przypadkiem mają jednego rocznego arystokratę, bo ktoś powierzył go ich opiece i wyjechał czy coś, oni się bardzo przywiązali, ale skoro Olo nalega, i że tysiąc pięćset bo kastracja katalepsja kanonizacja. Ale czemu właściwie nie chcemy kuleczki? Kuleczka taka słodka, tiu tiu, jeszcze przed kastracją sterylizacją odrobaczaniem odmóżdżaniem. Olo zawinął kociej pani taką historię, że stałam i patrzyłam zdumiona, słuchając, jak to jego ukochanej teściowej taki właśnie tiu tiu i to akurat roczny nieszczęśliwie zginął, tak nieszczęśliwie, że jemu nawet mówić trudno, bo mu głos w gardle więźnie. A że bardzo kocha teściową i jakie to szczęście, że podobny do tamtego kota, oj, ma pan przy sobie zdjęcie, jakie to piękne, tak, bardzo podobny, a ten pan na zdjęciu nie-podobny, oj bo to kuzyn, zaśmiał się Olo, tiu tiu i gdzie tu jest bankomat. Pani w tiulach zwiotczała pod wpły-wem Olowej retoryki, zwiewną dłonią wskazała za okno, że bankomat gdzieś przy sklepie, sklep zaś tam gdzieś w przestrzeni, i że ona też ma taką kochającą się rodzi-nę i że skoro dla teściowej, to może być tysiąc trzysta.

Zlituj się, Olo, prosiłam, patrząc na nasze trudne oszczędności wyjeżdżające z szufladki bankomatu, ty-siąc trzysta złotych za kota. Mieliśmy jechać nad morze, a do dupy na raki pojedziemy. Pojedziemy, stęknął Olo, tylko pod namiot, a nie do hotelu, kot zdechł i trzeba kota odkupić. A może by pogadać, załagodzić jakoś? Co tu załagodzisz, kot żył i nie żyje, ja się nie będę przed sąsiadem tłumaczyć, wiesz, jaki on jest drażliwy. O wil-ku mowa. O kocie raczej. Drugi esemes dzisiaj. Odpisz mu, wymyśl coś. Co słychać u kota, pyta drażliwy sąsiad.

No pisz, że u kota wspaniale, wręcz bosko, tiulowo i arystokratycznie. Że kot jest dla nas najdroższy, cholera jasna, tysiąc trzysta złotych. Napisz, że u kota w porząd-ku, coś zdawkowego napisz, i tak to jest już najbardziej zdawkowy z możliwych kotów.

Pani w tiulach jeszcze się wahała, nawijała coś o odżywkach, przekąskach i weterynarzach, ale Olo wcisnął jej w ręce nasze papierowe wakacje nad morzem, kota do transportera, a martwić się zaczął dopiero w samochodzie.

Że może rzeczywiście za chudy. Że nie daj Boże za gruby. Że za młody, zbyt łagodny pewnie albo nadmiernie nerwowy. Że sąsiad drażliwy i się zorientuje. Że sąsiadka niezbyt rozgarnięta, może nawet w czasie urlopu zdąży zapomnieć, że miała jakiegoś kota, ale sąsiad drażliwy i szczegółowy, zdjęć kotu zrobił bez liku, teraz kota ze zdjęciami kota porówna i jesteśmy zgubieni. Że chyba znowu przyszedł esemes. Czy kot dobrze znosi upały. Mogę odpisać, oczywiście, co to za problem odpisać drażliwemu sąsiadowi, że kot odwalił kitę, może z powodu upałów, a kot nówka kosztował nas tysiąc trzysta złotych i gadkę o teściowej. Ani się waż. Tak, kot w ogóle nie przejmuje się upałami, co tam upał kotu, w dupie ma nas i temperaturę. Tysiąc trzysta złotych plus benzyna i dzień stracony, jęknął Olo w głąb kociego transportera, spróbuje ci, draniu, karma nie smakować.

Kot za tysiąc trzysta plus benzyna rozejrzał się po mieszkaniu i bezbłędnie ruszył do miski. Zjadł. Zrobił piękną, królewską kupę do kuwety. Z gracją zagrzebał kupę w żwirku. Nie rozsypał. Wart był swoich pieniędzy. Otarł się o Ola, wyprężył ogon, pogłaskany, no dobrze, powiedział Olo, skoro już uwolniliśmy się od tiulu i kocich nianiek, to pokaż, proszę cię uprzejmie, że masz ludzkość i jej problemy w swojej kociej dupie i niczego tu nie zniszcz. Kot chyba zrozumiał, bo spał już głębokim kocim snem na fotelu drażliwego sąsiada. Kupiliśmy cię, pamiętaj, święty arystokratyczny spokoju.

Zaglądaliśmy do niego dwa razy dziennie, czasem częściej. Kot zachowywał się kocio, jak na kota przystało, jadł, spał, jadł, spał, dobrze znosił upały. Uwielbiał Ola. Czekał na niego przy drzwiach, mruczał jak silnik eleganckiego samochodu, pozwalał się głaskać po brzuchu i sprawiał mniej kłopotu niż codzienne, drażliwe esemesy. A co z kotem, co u kota, jak tam kot, co słychać u kota; Olo uczynił mnie odpowiedzialną za kocie łgarstwa i szybko wyczerpałam zasób synonimów słowa dobrze.

Opalona sąsiadka zapukała do nas w niedzielę, zaprosiła na wino i zdjęcia, nie wykręcisz się, powiedziałam do Ola, najgorsze zdjęcia najlepszym aparatem, chodź pooglądać czyjeś nogi na plaży, niedoświetlone talerze z sałatkami, prześwietlone katedry i łazienki hotelowe, fragmenty cudzego urlopu, za który kupiliśmy cudzego kota, chodź, Olo, skoro postawiliśmy cyrkowy namiot, grajmy przedstawienie do końca, konfabulujmy, ile historia od nas wymaga. Ale ostatni raz, ostatni raz zgodziłem się tym kotem zajmować. Tym. Tamtym.

O jaka piękna opalenizna, o jakie pyszne wino, o jakie pięknie rozmazane i z jakim powabem źle skadrowane zdjęcia, tak, koniecznie musimy tam pojechać w przyszłym roku. A wy będziecie się wtedy opiekowali naszym kotem psem stadem szczurów, gdyż na pewno sobie jakieś zwierzątko kupimy, tak bardzo się polubiliśmy z kotem, relacja z nim przedstawia dla nas wielką wartość, Olo tak się do niego przywiązał, tak, śmiał się Olo, mamy swoje kocioczłowiecze sekrety. A gdzie jest kot?

Złe zdjęcia. I nie można powiedzieć. Dlaczego nie można ludziom mówić. Robicie złe zdjęcia. Fatalne. Kot wam zdechł i musieliśmy kupić nowego. A ten nowy ma nas wszystkich w dupie. Tysiąc trzysta plus benzyna.

Kici kici. A ogon to miał chyba krótszy. Coś ty, jak to krótszy ogon. Chudszy był, mogę się zgodzić, przekarmiliście, przekarmiliśmy albo się umówiliśmy, że tak powiemy, odpowiedź A odpowiedź B. Dłuższy ogon krótszy ogon, niemożliwe. Dawno go nie widzieliście. Może jeszcze wina.

Chętnie, poprosimy jeszcze wina, gdyż kot ma ogon dłuższykrótszy nie taki sam i jest grubszychudszy również. Ewolucja. Wina Darwina.

Wina, chętnie, to jest nasza wina, przekarmiliśmy, ogon wyciągnęliśmy za pomocą wyciągarki do kocich ogonów, tysiąc trzysta złotych, ha ha, a jednak. Wina. Staraliśmy się bardzo za bardzo, żeby był szczęśliwy.

No grubszy, rzeczywiście. Miał niewiele ruchu, nie było was, nie skakał po kanapach, Olo wychodził sam pobiegać wieczorem, trzeba było kota zabierać ze sobą, najlepiej w jakimś pudełku, ha, ha.

Młodziej wygląda, bo się wysypiał, wypoczywał. Wakacyjna odnowa biologiczna.

Nie, czemu ciemniejszy, może się gdzieś ubrudził, może się opalił, wy też wróciliście opaleni, Monika schudła, nie krępuj się, schudłaś, świetnie wyglądasz, a kotu nie wolno się zmienić? Ludziom wolno, a kot ma żyć w kocim konstansie, tak? Niezmiennie ma być tym samym kotem. Ha, ha. To przestaje być śmieszne.

To przestaje być śmieszne, Olo. Coś nam się sugeruje, insynuuje coś, oskarżenia w naszą stronę padają. Owszem, niejednoznaczne, aczkolwiek. Opiekowaliśmy się kotem najlepiej, jak umieliśmy, być może nie umieliśmy, poczekaj, Monika, pozwól mi powiedzieć, ponad tydzień, podczas gdy wy, ale pozwól mi powiedzieć, podczas gdy wy opalaliście wasze chude tyłki na zagranicznym piasku i robiliście beznadziejne, ale dlaczego nie mogę, Olo, beznadziejne zdjęcia, a my dwa razy dziennie żarcie do michy, kupa na szuflę i do kibla, pomyśleliście o tym? Tak, zapewne zazdrość, nie stać mnie na taki aparat, na zagraniczny piasek i na kota za tysiąc trzysta, ale na zazdrość też mnie nie stać. Bo mi się nie chce, zaraz idziemy, zaraz, nie chce mi się zazdrościć, nie chcę też waszej wdzięczności, tyle mi ona potrzebna, co źle skadrowane zdjęcie, tylko o tego kota mi chodzi, rozumiecie? Wiem, Olo, ile wypiłam, nie musisz mi przypominać, jutro też będę pamiętać, zapewniam cię. Chodzi mi o sprawiedliwość wobec kota. Tak, wobec kota nie jesteście sprawiedliwi, zarzucacie mu coś, czego w ogóle nie zrobił, a on ma nas wszystkich w dupie, wszystkich tak samo, weźcie to pod uwagę, kot jest chodzącą sprawiedliwością. Powinniście się wstydzić. Nie, Olo, nie powinniśmy już iść, powinniśmy dawno temu iść, gdyż w tym domu nie ma grama sprawiedliwości wobec kota. Oczywiście, że inaczej wygląda, bo to zupełnie inny kot, tamten zdechł i go zjedliśmy albo Olo go gdzieś pochował i nie powiedział mi gdzie. A tego przywieźliśmy z hodowli, bo sądziliśmy, że wśród swoich źle sfotografowanych wspomnień i zagranicznej opalenizny się nie zorientujecie. I nadal tak sądzimy. Nie orientujcie się zatem, ha ha, oczywiście, że żartowałam. Ale wino znakomite, trzeba przyznać.

Dobrze, że powiedziałaś sąsiadowi o tych zdjęciach, nadął się jak pieczarka, niech sobie nie myśli, że jak go stać na taki aparat. Naprawdę myślisz, że ona schudła, Olo, powiedz, i że świetnie wygląda. Olo z wielką uwagą przekręcał klucz w drzwiach. Coś ty, tak samo jest gruba, jak była, nawet opalenizna nie pomaga. Tylko ma chyba dłuższy ogon, nie uważasz. Jaki ogon, Olo, o czym ty mówisz.

Trudno

Mój mąż miał na imię Jakub. Był dobrym człowiekiem. Dobrym. I eleganckim. Zawsze chodził w kapeluszu. Nawet w pole chodził w kapeluszu. Przez próg by w brudnych butach nie przeszedł. Siadał na schodku, buty czyścił, potem szmatką glansował, dopiero wchodził. Nieraz obiad stygł, wołam go, Jakubie, a chodźże już, a on mówi, niech stygnie, w brudnych butach do domu nie wchodzę. Dobry był człowiek. Ale rodzice mnie za późno za mąż wydali, bo byłam najmłodsza w domu, myśleli, że z nimi zostanę, że się będę nimi opiekować. I już nie bardzo było co dać, starsze siostry i brat wzięli pole, gospodarką się podzielili, a ja z ojcem i mamą miałam zostać. Tylko że mnie Jakub zechciał. No i mnie wydali za Jakuba. Dobry był człowiek. Szanował mnie. Ale za późno mnie za niego wydali, już byłam za stara. Dlatego dzieci nie mieliśmy. Trudno.

Słońce próbuje przedrzeć się do środka. Ogromna fuksja zamyka sobą dostęp do niewielkiego okna, jakby chciała mieć ciepło tylko dla siebie i swoich różowych kwiatów. Nie ma lipca. Czas nie płynie. Nic tu się nie zmienia nigdy. Kolory z ludowej chusty, niebieski piec, różowa fuksja w jednym oknie, w drugim geranium i drzewko szczęścia. Zegar zatrzymał się na wiecznej starości i nie ma zamiaru ruszyć w żadną stronę.

Łóżka przy ścianach są krótkie, prawie połowę miejsca zajmują spiętrzone haftowane poduszki. Jakub tu spał, a ja tam. Jakub w kapeluszu wydawał się postawny, choć nie był wysoki, niewielki raczej, ale nie dlatego łóżka takie krótkie, jak dla dziecka. Dawniej ludzie takie łóżka robili i na takich spali, niewyprostowani, jakby chcieli szybciej wstawać, jakby im się śpieszyło do czegoś.

I do czego się śpieszyć zresztą, nie ma do czego, nigdy się nie śpiesz, Jakub się tak pośpieszył, że pierwszy umarł. I zostawił mnie. Już jestem trzydzieści lat bez Jakuba, a ty ile masz, dwanaście, no widzisz, ty żyjesz dwanaście, a ja bez Jakuba żyję już trzydzieści. Trudno. Pamiętam wszystko. Na niedzielę musiał mieć ciasto, bardzo lubił. Siadał na schodku i fajkę palił, opowiadał mi historie, tak mi było dobrze z tym Jakubem moim, ale raz wyszłam do niego przed dom, przysiadłam obok, na jego schodku, i mówię, widzisz, Jakubie, my to chyba nie będziemy mieć dzieci. Trudno. Tak Jakub powiedział, trudno. Ale się zasmucił.

Siadam za stołem na wprost okna. Układam ręce na blacie, przykrytym białą, wypłowiałą ceratą, która w brązowych wzorach każe się domyślać kwiatów i rombów. Kwiaty powinny mieć liście, łodygi. Romby powinny występować z trójkątami, z okręgami może, a nie z kwiatami, w dwóch porządkach, jakby mieć lekcję biologii i matematyki równocześnie, dodaj do siebie tyle kwiatów, żeby wyszedł romb, zastosuj wzór na pole kwiatu, czy romby pachną i co zostaje po rombach przekwitniętych. Słońce przedziera się między roślinami ustawionymi na parapetach, szuka moich powiek. Patrzę w jego stronę, aż powieki robią się ciężkie i same mi się zamykają, zostawiając od wewnątrz gorące jasne i ciemne plamy, rozmazane jak maliny na cieście.

Moja matka przynosi ze sobą ciasto i przyprowadza mnie, jakby chciała się podwójnie usprawiedliwić, zapłacić za starą historię świeżo wyjętym z pieca plackiem albo dzieckiem, które ma mniej lat niż życie bez Jakuba, dzieckiem, które podsłuchuje i zapamięta. Niczego nie mówię, bo nikt mnie nie pyta. Nie lubię tego, że matka mnie ze sobą zabiera, nie lubię ciemnoróżowych, zwiniętych w trąbkę języków fuksji, zapachu kurzych odchodów w sieni, psa, który wyskakuje na drogę i ujada, jakby chciał zabić, a podkula pod siebie ogon i czmycha, gdy matka udaje, że schyla się i podnosi z drogi kamień. Pewnie ktoś go bił, mówi, dlatego teraz tak szczeka i dlatego się boi. Jak ktoś się boi, to szczeka. Tłumaczenie mi nie pomaga, i tak nie lubię tego psa, bo się boję bardziej.

W tym domu czas nie płynie, nie ma go. Ona ma lat dziewięćdziesiąt, w tym trzydzieści bez Jakuba, ja dziesięć jedenaście dwanaście. Spod chusteczki wymyka się kilka włosów białych jak prześcieradło, białych jak biel. Nie mieliśmy dzieci. A potem Jakub umarł. Trudno.

Ksiądz tu był po kolędzie, w styczniu. Kto się panią opiekuje, spytał, nie wiem, proszę księdza, Pan Bóg chyba powinien, skoro mi dzieci nie dał, to niech się mną zajmuje na stare lata. A jak nie chce, to niech do swoich spraw idzie, ja sobie ze śmiercią poradzę, nie tacy sobie radzili. Proszę tak nie mówić, nie wypada. Jak nie wypada, proszę księdza, starym ludziom wszystko wypada, włosy, zęby i powiedzieć, co się chce. Nie miałam pieniędzy, to mu dałam jajek, temu księdzu, ale on chyba pieniądze wolał, ludzie mówili, że podobno grał w jakiś hazard i długi okropne porobił. Powiesił się przed Wielkanocą. Ciekawe, jak sobie ze śmiercią swoją poradził. Trudno.

Nalewała do kubka ciepłe mleko i maczała w nim kawałki ciasta, przyniesionego przez moją matkę, nie mogła już gryźć, mimo że ciasto było miękkie. Nowy ksiądz jest podobno na parafii, ale go jeszcze nie widziałam, może przyjdzie po kolędzie, a może wcześniej umrę, wtedy on mnie zobaczy, a ja jego już nie.

Nie. Psa jeszcze nie było, pies później. Najpierw lipce i sierpnie bez psa, bez przestraszonego szczekania, tylko w fuksjowej, dusznej zawierusze, gdakaniu kur, w mleku, odgrzewanym w żółtym emaliowanym garnuszku na niebieskim piecu. Żadnego psa. Tylko koty, wszędzie koty, czasem jeden, czasem cztery maluchy, które urodziły się w stajni i kotka przyniosła je pod próg; zgodziła się zamieszkać w wiklinowym koszu w sieni, w sąsiedztwie rudych głupich niosek, i fuczała na mnie groźnie, gdy próbowałam dotknąć małych, chudych, przyssanych do niej, ślepych niezdarek. Teraz są cztery, w zeszłym roku miała tylko dwa, jednego sąsiedzi wzięli, a drugi się gdzieś stracił. A w następnym roku zamiast karmiącej kotki będzie wielki, pasiasty pieszczoch z długimi wąsiskami, nierób i leń, nic mu się nie chce, myszy pozwoli między łapami przejść, ani się obejrzy. A potem czarna, dumna kocica o diabelskim spojrzeniu, ta to łowna jest, ptaki, myszy, krety nawet przynosi, ale dotknąć się nie pozwoli, kiedy tylko rękę do niej wyciągnąć, zaraz zjeżona cała, jak się nazywa, nie nazywa się wcale, po co kota nazywać, kot to kot, przecież ja nie potrzebuję jej nazywać, bo jej nie wołam. Nawet jakbym wołała, nie posłucha. Przychodzi, kiedy chce, idzie, kiedy chce. A potem była kotka popielata, chuda jak nieszczęście, skądś się przywlokła już z kociętami w brzuchu, no to przecież jej nie wypędzę.

A pies dopiero potem.

Szłyśmy pewnie i szybko, matka z ciastem na talerzu, przykrytym lnianą ściereczką w paski, skręciłyśmy w prawo i wyskoczył na nas ten pies, brudny i brzydki, gruby kundel na nieproporcjonalnie długich nogach. Sierść na karku miał nastroszoną ze złości i z brudu, stała w strąkach na baczność; obnażył zęby, wypadł na drogę i zaczął szczekać groźnie, z wielką złością, ale w wysokich rejestrach, jeszcze pokraczniejszych od niego samego; nie wiadomo było, czy chce nas przestraszyć, czy rozśmieszyć. Postałyśmy chwilę, ale pies zbliżył się już niebezpiecznie i nie zamierzał odpuścić. Charczał i trząsł się, chory na brudną wściekłość. Matka podała mi talerz i pochyliła się, udając, że znalazła kamień, gdy nagle ktoś zagwizdał i wykrzyknął dwie sylaby, których nie umiałabym rozpoznać, powtórzyć ani rozdzielić, sylaby zlepione ze sobą w wyraz jak brudne kłaki na karku kundla, tworzące ostry dźwięk, gardłowe szczeknięcie. Ten dźwięk najwidoczniej był psim imieniem, gdyż brudne bydlę przestało ujadać, obrzuciło nas pogardliwym spojrzeniem, podkuliło ogon jak ktoś, kto po trzecim piwie szuka toalety, i uciekło.

Pod stodołą, ze skrzyżowanymi na piersiach rękami stał ten, co na psa zawołał. Moja matka powiedziała dzień dobry, ale niczego nie dostała w zamian, niczego poza spojrzeniem gniewnych oczu, ocienionych jedną gęstą brwią, biegnącą przez całe niskie czoło jak belka u powały. Mężczyzna nie odezwał się ani słowem, jakby ten chrapliwy dźwięk, którym zawołał psa, wystarczył na resztę dnia psu, nam i wszystkim innym stworzeniom. Odwrócił się na pięcie i wszedł do stodoły krzywym, utykającym krokiem. Nieproporcjonalnie duża głowa skłaniała się ku lewej stronie garbatych pleców. Kulał na lewą nogę, jakby połową swego nieforemnego ciała ciążył ku ziemi. Ziemia. Białe główki stokrotek, zieleń trawy i ten depczący ją stwór, brudzący ślady boskiej ręki czarnymi, oblepionymi błotem butami, kalający błękitną przejrzystość powietrza zapachem obornika i tłustych włosów, przylepionych do spoconego, czerwonego karku, narysowanego trzema biegnącymi w lewo bruzdami. Dokąd idziesz, Quasimodo, źle sklejony człowieku. W uchylonych wrotach stodoły ukazała się na moment czerwona, brzydka twarz kobiety, twarz świadcząca o tępocie, uporze, a pod nią główka dziewczynki może pięcioletniej, główka ciekawska, ale zła na świat. Dwóm cienkim warkoczykom nie udawało się zasłonić odstających uszu ani zmienić kształtu szerokiego, krótkiego czoła. Dziewczynka wystawiła bosą nogę, ale nie zdążyła wyjść, bo odrzwia stodoły zamknęła wielka owłosiona ręka o krótkich, brudnych paznokciach. Drzwi do piekła. Porzućcie wszelką nadzieję. Oto Quasimodo rozmnożony, ale nie z Esmeraldą, bynajmniej. Skąd oni się tu wzięli, co tu robią, dlaczego są tacy brzydcy, źli i brudni, może tylko nieszczęśliwi, szepnęła moja matka, nie, raczej nie, nie są nieszczęśliwi, są źli, brzydcy i brudni, dlaczego nie można przestać na nich patrzeć i dlaczego przyśnią mi się w nocy, dziś i jutro, tej nocy i następnej. Boruta z rodziną. Dlaczego nie mam w sobie krzty litości dla ich brzydoty, przecież to nie ich wina, dlaczego się boję, przecież matka mnie tak nie wychowała.

Ciekawe, co tu się stało, ciekawe, powiedziała moja matka, wchodząc do domu.

Fuksja rządziła się na oknie jak każdego lata, podając słońcu swoje różowe, pękate dzieci. W złotej plamie na podłodze drzemał czarny kot, chudy, z obszarpanym uchem, kot wojownik. Leniwie podniósł głowę. Z książeczki do nabożeństwa, spomiędzy wypracowanych kartek z czerwonym brzegiem, wystawała niepewnie Matka Boska Wspomożenie Wiernych. Już sobie sama nie dawałam rady. Trudno. Starość puka zawczasu, ale się człowiekowi wydaje, że sobie poradzi, że będzie sam wszystko koło siebie robił, a jak nie będzie, to umrze i spokój. Jakby tak Pan Bóg świat urządził, toby było lepiej. Albo jakby każdemu dzieci dał, sprawiedliwie, żeby się człowiekiem w tej starości zajmowały. A bo czasem to też są takie dzieci, co się nie chcą zajmować, nie chcą być uwiązane do tego starego niedołęgi jak pies do budy, co tu się dziwić, trudno. Westchnęłam do Jakuba i tak go pytam, Jakubie, co zrobić, samą mnie zostawiłeś, umrę i na marne wszystko, a ci tu chodzą i chodzą, zaglądają i pytają, czyby jaki kąt do zamieszkania się nie znalazł, jaka ziemia albo jaki stary dom do kupienia w okolicy. Ale Jakub mi nie pomógł. Nic. Trudno. Kapelusz na twarz naciągnął, że niby nie chce słyszeć. Jakubie, mówię i rękę mu kładę na ramieniu, ale go nie ma, nie ma Jakuba mojego i ręka opada, Jakubie, myśmy dzieci nie mieli, żadnych nie mieliśmy, ani dobrych, ani złych, a ci tu z dzieckiem przyszli, po świecie się tułają, zlituj się, Jakubie, i spójrz na mnie, ja im gospodarkę zapiszę, i pole, i stodołę, i dom, żeby się mną na stare lata zajmowali, żeby mi kromkę chleba ukroili i mleka w garnczku zagrzali, bo mnie czasem tak ręka boli, że siły nie mam, zostawiłeś mnie, Jakubie, bez twojego ramienia, bez dzieci mnie zostawiłeś, trudno, ale kto to wie, kiedy mnie Pan Bóg zawoła, może jutro, może za wiele lat jeszcze, a ja przecie tej gospodarki ze sobą nie wezmę. Oni dziecko mają, Jakubie, spójrz na mnie. Ale Jakub nic. Nie spojrzał. Trudno. Zapiszę im gospodarkę, dom po mojej śmierci dostaną, niech się po świecie nie włóczą, bo świat za duży dla dziecka małego. Zostańcie, powiedziałam, teraz lato, możecie w stodole spać, bo ciepło, a do jesieni może umrę i spokój. I tak już zostali. I tak są. Chodzą od rana, tupią, hałasują, nawet mi weselej. Nie jestem sama, Jakubie. Nie jestem.

Moja matka westchnęła, wyjęła z białego kredensu talerzyk z różanym brzegiem, położyła na nim kawałek ciasta. Pies zaczął ujadać. Ujadał też następnego roku. I następnego. Coraz mniej miał siły do ujadania, coraz więcej miał za to złości i zawziętości. Bo coraz więcej fuksjowego świata należało do niego. A chrapliwy głos, który pokrzykiwał na kundla nieodgadnionymi sylabami, rozlegał się coraz bliżej domu.

Brzydki człowiek siedział na kamiennych schodkach i spokojnie obserwował naszą panikę na widok pędzącego kundla ze zwisającym brzuchem, kołyszącym się nad trawą. Kobieta z córką stały tuż przy ścieżce prowadzącej do domu i przyglądały się nam z niemą tępotą. Nie odpowiedziały na dzień dobry, nie drgnęły nawet, ani na ułamek sekundy nie spuściły nas z łańcucha spojrzeń. Spod brudnych kwiecistych spódnic wystawały masywne łydki i bose stopy. Cerber na kamiennych schodkach nie przesunął się nawet o centymetr, jakby był gargulcem strzegącym wejścia do świątyni. Ciekawe, czy wypluwa deszczówkę, kiedy pada, pomyślałam, żeby o czymś pomyśleć, o czymś do pomyślenia, żeby złapać jakąkolwiek myśl przed wejściem do cichej sieni. Ustawione pod ścianą wiklinowe kosze, zwykle pełne dumnych i cierpliwych niosek, były puste.

– Nie mam małych kotków w tym roku. Miałam, ale już nie mam. Trzy były, dwa czarne i jeden pręgowany, ale nie ma. Nawet nie wiem, kiedy zabrał, chyba w nocy, bo nie widziałam nic, do rzeki poszedł pewnie i utopił. A matka za nimi pobiegła i straciła się gdzieś. Ja bym też stąd pobiegła, ale sił w nogach nie mam. Trudno. Kur się już nie doliczę. Ten ich pies jedną mi zagryzł, nawet nie zagryzł, bo siły nie miał, też stary, tylko poszarpał, że aż jej skrzydło urwał, głupi pies, a kura przyszła aż tu, do domu, cierpienie mi swoje pokazać, to ją tamten zabrał, łeb obciął i zjedli. A może to lepiej, co się tak męczyć, cierpieć tak. Trudno.

Jakub już do mnie przychodzić nie chce. Dawniej mi się śnił, tośmy pogadali, poopowiadałam mu i o radę spytałam, a teraz nic. Czasem go jeszcze widzę, jak przez pole swoje idzie, kłosy palcami sprawdza, czy pełne, ale zawsze plecami do mnie odwrócony. Jakubie, wołam go, Jakubie, ale nie odwraca się. Albo gdy się budzę, oczy otwieram, a on już przy stole siedzi, herbatę słodzi i miesza, Jakubie, mówię, już wstałeś. Ale głowy nie podnosi. Już mu się tam widać w niebie przykrzy samemu, a ja tu niepotrzebnie taki czas wielki marudzę. Raz wyszłam do sieni, drzwi otwarłam, na schodkach siedzi i buty czyści, więc mówię, Jakubie, ale to nie był Jakub, pomyliłam się, to nie był Jakub, tylko miejsce po Jakubie zajęte, śmiali się ze mnie. Wyspowiadałabym się, toby może było łatwiej, ale ksiądz nie chce tu przychodzić. Jak to nie ma z czego, zawsze się jest z czego spowiadać. Myślą się grzeszy najwięcej. Myślą. Mową nie, bo się nie ma do kogo odezwać. Trudno. Uczynkiem nie, gdzie ja uczynkiem, nawet ręki porządnie nie podniosę, zaniedbaniem też nie, bo jak coś zaniedbać, kiedy się nic nie ma. Myślą tylko. Dobrze, że mi pani ciasto przyniosła, dałabym pani jajek, ale nie mam. Nie ma kur, nie ma jajek. Ale grzechy zawsze mogą być. Przez to człowiek na tym świecie tak marudzi. Przez grzechy swoje. Trudno. Może chociaż tę fuksję pani chce zabrać. Zmarnuje się. I niech pani z dzieckiem nie przychodzi. Niepotrzebnie. Dziecko wszystko zapamięta, i po co to komu.

Skąd można wiedzieć, że się pamięta, jak było, że pamięć nie zmienia specjalnie szczegółów, nie śmieje się z nas. Pamięć mnie nie chce. Sama sobie jest. Drogę, którą idziemy, wyżłobiła kiedyś rzeka. Idziemy w długiej kołysce, ocienionej drzewami. Moja matka ma na sobie białą sukienkę w kolorowe drobne kwiatki. Na drogę spadają dzikie gruszki. Osy i muchy brzęczą nad gnijącymi owocami jak baby na targu, droga szeleści i mieni się słodkim falowaniem.

Kłócę się przez chwilę z moją pamięcią, gdyż dom jest innego koloru, niż być powinien, niż go pamięć powinna pamiętać, ale to ona wygrywa, bo dom rzeczywiście jest innego koloru. Jeśli to kolor. Jeśli zmiana ścian pobielonych wytartym błękitem na brudnożółte jest zmianą koloru na kolor. Pies nie ucieka. Siedzi przy drodze, w cieniu leszczyny, ale nie jazgocze. Podnosi się z trudem, jest już bardzo stary i nie chce mu się, ale chyba uważa, że nie powinien przepuścić takiej gratki jak kawał ciasta, świeżego, ciepłego jeszcze ciasta z malinami, który zsunął się z przechylonego nieuważnie talerza na drogę i po który nikt się nie schyla jak po udawany kamień. Ciasto leży na drodze naprawdę, stary pies podchodzi do niego bokiem, obwąchuje nieufnie, w końcu pożera w dwóch obrzydliwych, zaślinionych kłapnięciach.

Nie skręcamy w drogę prowadzącą do brudnożółtego domu. Matka obraca się na pięcie dziwnie lekko. Owija pusty talerz lnianą ściereczką w paski tak ciasno, jakby chciała go zgnieść. Unosi głowę, zagryza dolną wargę. Odprowadza nas wzrokiem brzydka dziewczynka, wyglądająca przez niewielkie okno. Łokcie wygodnie opiera na pustym parapecie.

Ursa maior

Coś było najpierw. Ktoś. Kamień, drugi kamień i trzeci, dom, człowiek. Kwiat, owoc. Słowo na początku. Początek jest ważny. Bez początku się nie zacznie. Trzeba go wyznaczyć. Zaczyna się tu. Ale gdy już się go wyznaczy, reszta płynie, jak chce, słowa i domy, ludzie i kamienie. Kamienie trzeba ułożyć. Bez tego nie będzie domu. Słowa. Początek jest ważny, ale nie proś o właściwą kolejność. Bóg stworzył świat, zaraz potem urodziłeś się ty, potem zbudowałem dom za miastem, na wzgórzu, a potem wyrosło miasto, które już było, a później jeszcze wybrzuszyło się wzgórze, a zaraz potem Bóg stworzył świat. Tuż po twoich narodzinach. W domu na wzgórzu. Tam się urodziłeś i tam Bóg stworzył świat.

Mogę opowiedzieć tylko teraz. Rankiem wszyscy krzątają się po domu na wzgórzu, przemieszczają się, wychodzą, wchodzą, wołają mnie, zapominają, że mnie wołali i po co. O jedenastej jest już zbyt gorąco na opowieść, która robi się lśniąca i leniwa jak dziewczyny na plaży, i mówi: później i później, nie teraz. Po południu wracają i znów zaczynają się krzątać, tupią, szurają, oczywiście znajdą połówkę nieporadnie skręconego papierosa, na pewno znajdą, jeszcze nigdy nie udało mi się tak jej ukryć, żeby od razu nie znaleźli, znajdą i przyniosą z obrzydzeniem brązowego, śmierdzącego stęchłą śliną robaka, przecież lekarz ci nie pozwolił, nie wolno ci, czy ty chcesz sobie zaszkodzić, czy myślisz, że o niczym nie wiemy. Wręcz przeciwnie, świetnie wiem, że o wszystkim wiecie, i właśnie dlatego codziennie skręcam brązowe, cuchnące robaki i chowam je tak, żebyście od razu znaleźli, bo nic nie wiecie, nic.

Wieczorem jest czas opowieści. Trzeba być cierpliwym. Ona się nie śpieszy, jest taka stara jak ja, pozwala usiąść na rozgrzanym murze pod laurem, zaciągnąć się zapachem drzewa, ucieszyć własnym cieniem po gorącym dniu i posłuchać. Masz czas? Jeszcze się nie zaczęło. Tak, już się skończyło. Mówiłem, żeby nie zawracać sobie głowy chronologią, Chronosa obalił Zeus. Wykastrował go, a z jego nasienia, które spadło na ziemię, wyrosło wzgórze za miastem. Miasta jeszcze wtedy nie było, tylko drugie wzgórze obok, a na wzgórzu kościół i budynki klasztorne. Dopiero potem miasto. A na końcu – czas.

Czas, kiedy Bóg nie był tylko okiem w trójkącie, okiem, które patrzy i widzi, ale ręką wyciągniętą zza chmur. Jakby świat nie został dokończony, jakby kolorowe kamienie fresków można było poprzestawiać w nową opowieść. Wiesz, że pada ciągle ten sam deszcz.

Od milionów lat. Ta sama woda paruje i opada na ziemię. Kamieni i słów jest też skończona liczba. Trzeba zburzyć starą opowieść i opowiedzieć nową.

Początek jest ważny. Ale ważny jest też koniec, nawet jeśli świat pozostaje niedokończony, nawet jeśli Pan Bóg nie ma na niego pomysłu, ja muszę dokończyć budowę domu na wzgórzu. Memento finis, pamiętaj o końcu, mówił zakonnik ze wzgórza. Przychodził popatrzeć, jak wyrywam ziemi kamienie, jak mieszam zaprawę, jak liczę czerwone cegły, wybieram kolor framug okiennych, montuję karnisze, jak sadzę kupione w sklepie ogrodniczym drzewo laurowe, żeby dawało cień za trzydzieści, czterdzieści lat, trzydzieści lat temu. Noce były ciepłe, nadawały się do opowiadań, ale ja nie miałem wtedy niczego do opowiadania, kładłem się pod kocem wśród belek, cegieł, puszek farby, słuchałem świerszczy. Pamiętaj o końcu, mówił zakonnik z klasztoru na wzgórzu, a ty się nie boisz tutaj domu budować, spytał mnie kiedyś kuzyn, mówią, że na wzgórzu obok był klasztor templariuszy, ludzie w ziemi czaszki znajdowali, czasem jakiś przedmiot. Dawno temu. Jak coś znajdziesz, trzeba muzeum archeologiczne powiadomić. Dawno nie dawno, dawno jest teraz, przynajmniej tak głęboko w ziemi nie ryj, po co ci taki plac wielki przed domem, chyba chcesz czterema samochodami podjeżdżać, ryjesz i ryjesz, uklepujesz tę ziemię, jakbyś robił parkiet do tańca, tyle ziemi ci nie potrzeba, człowiek niewiele miejsca zajmuje, dwa metry na sześćdziesiąt kilka centymetrów, nie, powiedziałem, o te sprawy troszczyć się nie będę, niech się troszczą ci, co zostaną, ja tu buduję i buduję, reszta nie dla mnie, nie robię planów. Memento finis, pamiętaj o końcu swojej pracy, ale o twoim końcu niech inni myślą.

Nikt mi nie pomagał, ale nie dlatego, żeby ludzie byli nieżyczliwi, mówiliśmy sobie dzień dobry w sklepie, facet, co miał skład materiałów budowlanych, zawsze miło doradził, to pan buduje dom na wzgórzu, tam gdzie ponoć templariusze mieli klasztor, ja, ale mówią, że na drugim wzgórzu klasztor był, w sąsiedztwie, przyszedłbym pomóc, ale tak daleko, człowiek już w południe zmęczony przy takich upałach, kawy się można napić, ale ja kawą nie poczęstuję jeszcze, nie mam na razie kawy gdzie zrobić, może w następnym tygodniu, jak do kuchni okno wstawię, może za trzydzieści, czterdzieści lat. Ludzie byli życzliwi, pytali, ale nie przychodzili, ktoś raz samochodem na górę z zakupami mnie podrzucił, na dom, który jeszcze domem nie był, spojrzał, dla kogo pan taki wielki dom buduje, przecież pan nie ma rodziny, sam pan tu żyje jak mnich. Dom zbuduję, to i rodzina się znajdzie, zażartowałem, przepraszam, że kawą pana nie poczęstuję, nie mam jeszcze na czym jej przygotować. Żona w mieście, z rodzicami na razie mieszka, syn ma już trzy lata, a zimą urodzą się bliźnięta, dom duży będzie potrzebny. Za duży dom na jednego mnicha. A ten zakonnik, co tu krąży, przystaje czasem, patrzy na budowę, dopytuje o coś, to z kościoła w mieście, nie wie pan może? Jaki zakonnik, zdziwił się facet, który mnie samochodem podrzucił, zakonnik, nie słyszałem o żadnym zakonniku, po co by tu mieli przychodzić z kościoła na dole, ksiądz staruszek jest, prawie nie wychodzi, czasem młody z innej parafii przyjeżdża mu pomóc, ale po co by tu mieli przychodzić, mają swoje opowieści, nie pytają nikogo o nic. Nie widziałeś niedźwiedzia, zapytał mnie ten zakonnik, zdziwiłem się, na innych wzgórzach budują się nowe domy, ludzie dawno powycinali drzewa, zakładają ogrody, sadzą laur, co da cień za lat trzydzieści albo czterdzieści, laur, pod którym usiądą i będą opowiadać, jak budowali domy, jak wydzierali ziemi kamienie, jak głęboko ryli, wkopywali drewniane pale i przywiązywali do nich młode drzewa, kupowali klamkę do drzwi wejściowych, dachówkę, przycinali niegrzeczne pędy jaśminowca, obrywali przekwitłe kwiatostany różanecznika, strofowali dzieci, nie biegaj, bo podepczesz, popatrz, jakie te roślinki są jeszcze malutkie, trzeba je ogrodzić metalową siatką, bo zimą, kiedy zrobi się chłodniej, zwierzęta mogą tu przyjść i obgryzą korę, widziałem tu kiedyś sarny, ale niedźwiedzia? Ależ skąd, mówił, otwierając letnie piwo pod granatowym, ugwieżdżonym sufitem, w życiu tu nie było żadnych niedźwiedzi, przecież tu nawet nie ma porządnych lasów, może kiedyś, bardzo dawno, kiedy Pan Bóg stwarzał świat, ale mieszkam tu od urodzenia, czterdzieści sześć lat, ani mój ojciec o niedźwiedziach w tej okolicy nie słyszał, ani dziad. Przesłyszało ci się. Niech pan się nawet nie wygłupia i nie próbuje tego zwykłą kosiarką skosić, nie wygłupiaj się nawet i nie próbuj tego zwykłą kosiarką skosić, pożyczę panu jutro specjalny traktor.

Na tym wzgórzu był las. Być może więcej niż czterdzieści lat temu, być może dawniej, niż żyli mój ojciec i dziad. Wszędzie las wokół, na wielu wzgórzach, i droga do klasztoru. Gdy się człowiek piął w górę jak powój, klasztor można było zobaczyć przez chwilę, między drzewami, ale z rzadka i niewyraźnie, tak wzniesiony i drzewami osłonięty, żeby był i nie był, żeby go można dojrzeć i nie można, żeby się go domyślać i się mylić, żeby ci, co osłabną po drodze albo co wyżej iść nie mają potrzeby, nie widzieli go. Dopiero gdy się z mojego wzgórza popatrzyło, a jeszcze lepiej z pierwszego piętra domu, widać było czasem dym z klasztornego komina. Oczywiście, że tu były niedźwiedzie, powiedział zakonnik, zwracając zakapturzoną twarz w stronę szczytu, jakby miał usłyszeć stamtąd dźwięk dzwonu, który bije i nie bije, wzywa go i milczy. Oczywiście, że były, ale dawno, to prawda, trudno o tym pamiętać. Opowieści giną. Klasztor templariuszy też został zburzony. Ty budujesz, a tam obok ruina. Spaliło się, co drewniane, a resztę ludzie zburzyli, kamienie porozrzucali wokół, jak dziecko w złości zabawki rozrzuca. Co cenne – rozkradli, a kamienie porozrzucali jak śmieci, ani jeden na swoim miejscu nie pozostał. Memento finis, śmiali się, patrzyliście końca i koniec sam przyszedł. I nie będzie nowego początku, bo początek jest jeden. Opowieść może się rozrosnąć, winoroślą opleść, ale z jednego domu wychodzi. Buduj i patrz końca. A jak chcą zburzyć twoje – odejdź. Nie odwracaj się. Ty zbudowałeś. Burzą ci, co nie umieją zbudować. Zapominają ci, co nie umieją pamiętać. O klasztorze też zapomnieli, spytałem, a mnich się zaśmiał, aż echo jego śmiechu uderzyło we wzniesienia wokół, o klasztorze, kto by pamiętał o klasztorze, jak mogą o klasztorze pamiętać, skoro o sobie nie pamiętają. Klasztor to zbyt odległe dzieje, tyle lat, ludzie tyle lat nie żyją, może kamienie będą pamiętać, ale ludzie nie. Kamień ma lepszą pamięć. Głębszą. Opowieści nie słuchaj. Pracuj. Nie odpoczywaj. Niedźwiedź zimą śpi, człowiek nie może. Buduj dom, posadź drzewa, sprowadź rodzinę, obrywaj przekwitłe kwiatostany różanecznika, to ci zakwitnie każdego roku obficiej. Buduj i patrz końca. Daj dzieciom schronienie. Słyszałeś o Kallisto, co się schronić nie może, z synem swoim wiecznie ucieka. Niebo jest zmienne, inne latem, inne na zimę, a Kallisto jest zawsze, nie ma się gdzie schronić. To jest kara. Pamiętaj. Dlatego dom trzeba budować. A jeśli niedźwiedzia zobaczysz, to się ucieszysz, bo to Kallisto u ciebie miejsca szuka. Kim jest Kallisto, spytałem, ale już zamilkł. Wiedziałem, że nie ma sensu pytać, kiedy milczał, to milczał. Jak się opowieść skończy, nie wolno już pytać. Opowiada się do końca opowieści. Dalej nic nie ma. Nie ma też pytań.

Podejdź tutaj. Nie masz papierosów? Nie pozwalają mi palić, lekarz mi zabronił, a mnie już teraz wszystko jedno. Podejdź. Widzisz, trzeba podnieść szklaną pokrywę i włączyć światło, musisz tam rękę zagłębić i poszukać, w środku, po prawej stronie. Zaraz zobaczysz dokładnie, sam to zrobiłem, chociaż się śmiali ze mnie, po co ty szybę w ziemi zakładasz, robakom okno montujesz, sam zrobiłem, ale teraz nie mam już siły, żeby samemu to wieko podnieść. Widzisz? Niczego nie widzisz. Nie rozumiesz. Dlatego muszę ci powiedzieć. Chciałem skończyć budowę do jesieni, żeby żona mogła się przeprowadzić, zanim zrobi się chłodniej, tyle chociaż przygotować, żeby się dało mieszkać. W czerwcu wynająłem jeszcze kilku robotników do najtrudniejszych, najcięższych zadań, tylu, na ilu było mnie stać. Sam robiłem, ile mogłem, człowiek był młody, zjadł byle co, przespał się byle gdzie, nie myślał, że go kiedyś będzie boleć kręgosłup, że będzie się wlókł noga za nogą, byle w cieniu pod drzewem usiąść, byle przed upałem się skryć jak zbieg, że mu nie będzie wolno kieliszka wina wypić ani zapalić, masz papierosy może?

Dwudziestego trzeciego czerwca, pamiętam, w noc świętego Jana Chrzciciela, jedynego świętego, w którego wierzę, nie wiem już, czy wcześniej wierzyłem, czy od tamtej chwili właśnie zacząłem, w noc świętego Jana

Chrzciciela znalazłem ten kamień. Kończyłem pracę, zapadł już wieczór, potknąłem się o ten kamień i z trudem się podniosłem. Postanowiłem, że go wykopię, rano przyszedłem do niego, ale nie pozwolił się wykopać, jakby był fragmentem jakiejś wielkiej skały, próbowałem ziemię wokół niego obdłubać, przez godzinę wydłubałem może garść, spociłem się, nie było sensu, kamień zabronił mi się dotykać. Sąsiad przyszedł po południu, razem podlaliśmy młode drzewa, bo było sucho. Pokazałem mu kamień. Dziwne, mówi, że go wyjąć nie możesz, ziemia jest przesuszona, powinien wyjść łatwo jak mleczny ząb, przyjadę jutro traktorem, poradzimy sobie, ale czy to się da maszyną wyjąć, skoro nie ma jak podważyć ani o co zaczepić. Dziwny ten kamień, gładki, jak ręką ludzką wypolerowany, zobacz, ziemia tak nie potrafi ani woda, tak umie tylko człowiek. Jeden, dwa, trzy, siedem otworów, człowiek to zrobił, nie natura, widzisz. Zobacz tutaj. Policz otwory. Siedem jest. Siedem. Jakby zwierzę jakieś, w kłąb zwinięte, uśpione, w kamieniu śpiące, jutro po południu przyjadę traktorem i spróbujemy go wyjąć. Nie, powiedziałem, nie trzeba, niech tak zostanie. Przesądny jesteś, zapytał sąsiad, co ci po takim kamieniu, teraz go już przecież nie zasypiesz. Może to jakiś zabytek, ludzie w okolicy znajdowali czasem jakieś zabytkowe rzeczy w ziemi. Albo zdarzało się, że kupowali miejsce na cmentarzu, wykopywali dziurę, żeby swojego nieboszczyka do ziemi schować, a tam już jakiś cudzy nieboszczyk pochowany, niepodpisany, trzeba było do muzeum archeologicznego dzwonić, ekshumację urządzać, więcej zamieszania niż pożytku, ziemia jest stara, jak chcesz, to zadzwonimy jutro do muzeum archeologicznego, niech przyjadą i niech sami ocenią, niech sobie sami ten kamień wyjmą, jeśli im na coś potrzebny. Nie, powiedziałem, nie chcę. Nigdzie nie dzwoń. Kamień jest w mojej ziemi, jeszcze mi tu jacyś archeolodzy przyjdą kopać, dom nieskończony, może i budować zabronią, nie chcę. Zresztą ileż to może być warte. Kamień z otworami i tyle. Przecież tego nie sprzedam, nawet z ziemi wyjąć ani unieść nie umiałbym.

Zobacz, czy nie idą. Nie idą. Można zapalić. Nie słuchają. Można opowiadać. Wszystkie gwiazdy zmieniają miejsce, wędrują, letnie niebo inne jest od zimowego. Niektóre widać, inne się kryją, tylko Kallisto jest na niebie zawsze. Nie może odpocząć w morzu, bo Hera się na nią gniewa. Spójrz. Wielki Wóz. Niektórzy mówią, że to Wielka Niedźwiedzica, ale się mylą, to tylko część tego gwiazdozbioru, asteryzm, tak to się nazywa. Przeczytałem. Ale tego wieczoru zobaczyłem. I każdej nocy świętego Jana Chrzciciela, jedynego świętego, któremu wierzę, nie w którego, któremu, przecież wiem, co powiedziałem, jedynego świętego, któremu wierzę, światło siedmiu gwiazd Wielkiego Wozu błyszczy w siedmiu otworach w kamieniu. Dubhe, Merak, Phad, Megrez, Alioth, Mizar, czyli rumak, Alkaid. Może i na niebie widać wóz, a ja tu widzę niedźwiedzia, spójrz, uśpiony niedźwiedź. Ucho, łapy, ogon. Kallisto odpoczywa przed moim domem.

Oczywiście, że opowiadałem moim dzieciom, opowieść jest po to, by ją opowiadać i nie zadawać pytań, gdy się skończy. Pilnują mnie, żebym nie palił, bo mi po wylewie nie wolno. Po wylewie to właśnie wszystko człowiekowi wolno. Powiedzą ci, że każdemu opowiadam tę samą historię, że pełno w niej błędów, że Wóz to nie to samo, co Niedźwiedzica, że się mylę. To mi też wolno. I kamień mi wolno pokazywać, komu chcę, bo na mojej ziemi znalazłem uśpionego niedźwiedzia. Powiedzą ci też, że na sąsiednim wzgórzu był klasztor templariuszy, memento finis, i że ponoć kiedy się zakonnicy wynieśli, ludzie ze wsi klasztor zburzyli, a kamienie porozrzucali. Nie wiem kiedy. W czternastym wieku, mówią, że w czternastym wieku i że ja głupstwa plotę, a skąd to mogą wiedzieć? A może czternasty wiek był wczoraj? A może ciągle trwa, może w czternastym wieku teraz jesteśmy? A może Pan Bóg dopiero co świat skończył budować, kto to potrafi powiedzieć? Ludzie klasztor zburzyli i kamienie porozrzucali, może jakiś zakonnik po swojego niedźwiedzia przyszedł? Może wiecznie utrudzona Kallisto mój dom wybrała? Kto to może wiedzieć. Ludziom się wydaje, że wszystko wiedzą. No, zasuń już tę szybę. Opowieść się skończyła.

Nie, żadnych pytań. Wystarczy.

Cykada

Twój ojciec oczywiście próbuje mnie przekonać, ale to nic nie da. Wiesz, jaka jestem uparta. Nie wygra ze mną. Powiedziałam, że dam ci wszystko, i dam ci wszystko. Głupie gadanie, potrzebne czy niepotrzebne, może się wydawać niepotrzebne, a potem, kiedyś, nagle – proszę bardzo, jak znalazł. Nigdy nie wiadomo, co się może przydać. Twój ojciec mówi, że wiadomo, ale nie ma racji. Nie zna się na tym i tyle. Zresztą wcale go nie pytam o zdanie, powiedziałam, że dam ci wszystko, że wszystko ode mnie dostaniesz, i tak będzie.

Komplet talerzy, garnki, garnuszki, patelnie, rondle, rondelki, kociołki, misy, dzbany, dzbanuszki. Dwie lampy oliwne. Srebrne. W każdej chwili mogą zjawić się goście. Trzeba być przygotowanym. Dopiero później się okazuje, że na nic nie jesteśmy przygotowani. Ale tak miło się okłamywać, tak po ludzku, co w tym złego. Srebrne, wszystko srebrne, stać nas, jesteś z dobrej rodziny. Nie powstydzisz się nas. Na takiej zastawie możesz podjąć każdego. Zapalaj lampę o zmroku. Nie żałuj oliwy. Człowiek potrzebuje światła.

Kiedy dziewczyna odchodzi z domu rodziców, żeby stworzyć własny dom, matka musi dać jej to, co konieczne. Amfory, misy, rondle, rondelki, puchary, dwie lampy oliwne. Dom się przekazuje. Moja matka przekazała mi dom. Ja też muszę przekazać ci dom. A może się tylko uparłam.

Twój ojciec był początkowo przeciwny, chodził, marudził, zaglądał, komentował, a potem przyniósł alabastrową tabliczkę, rylec i dwa kałamarze z brązu. Przyszedł, stanął nade mną z miną zbolałego psa, znasz tę jego minę, najpierw się upierałem, a teraz poszedłem po rozum do głowy. Mina pod tytułem: pogderałem sobie, a teraz zrobimy po twojemu. Po co jej te kałamarze, spytałam. Prawie się rozpłakał, jak to po co, cały dzień czyścisz rondle, rondelki, misy, talerze, czyścisz i czyścisz, bardziej błyszczeć nie będą. Po co te kałamarze, no nie wiem, nie wiem, po co, zaczął krzyczeć, po to samo, po co rondle i misy, po co jej rondle i misy, wytłumacz mi, jeśli potrafisz. Kiedy dziewczyna odchodzi z domu rodziców, matka musi jej dać to, co potrzebne, a ona musi wziąć część domu swoich rodziców, dom się przekazuje, musimy jej wszystko dać. Wobec tego przyniosłem te kałamarze, najlepsze, ulubione moje kałamarze, nie śmiej się, chcę, żeby miała coś ode mnie, nie śmiej się, chciałaś ją sobie zagarnąć, cała dla ciebie, to jest też moja córka, chcę, żeby miała ode mnie właśnie te kałamarze z brązu. Daj jej te kałamarze, proszę.

Ale do kogo ona będzie pisać listy, jak myślisz, może do ciebie? Może do mnie, odpowiedział, stał jak głupi z tymi kałamarzami w rękach, za duże są te kałamarze, powiedziałam, talerze, misy, amfory są mniejsze, lampy oliwne są mniejsze, a kałamarze ogromne. Moje najlepsze kałamarze, powiedział, chcę jej je dać, i żeby było wiadomo, że to ode mnie, nie zawłaszczaj sobie wszystkiego. Nie, nie gdzieś tam daleko, tu postaw, koło swoich patelni i rondli, pisanie jest tak samo ważne jak jedzenie, jeśli nawet nie ważniejsze. Albo nie wiem, nic nie jest ważne, po prostu daj jej te kałamarze i już.

Daję ci te kałamarze. Ulubione kałamarze ojca. Z brązu. Gdybyś zechciała do niego napisać. Uparł się, żeby cię wykształcić, że jesteś z dobrego domu, że go stać, to teraz sobie korespondujcie.

Daję ci też dwa lustra. Srebrne. To, które miało być dla ciebie, i moje. Nie będę się już w nim przeglądać. Wiem, co mogłabym zobaczyć. Niepotrzebne mi do tego lustro.

Tobie lustro też nie jest potrzebne. Dlatego dam ci oba. Dla męża należy ładnie wyglądać. Są takie kobiety, które myślą, że skoro już wyszły za mąż, mogą przestać dbać o siebie, nie przeglądają się wcale w lustrze, nie czernią brwi, nie wcierają kropli perfum za uchem, nie smarują się po kąpieli oliwą, nie układają włosów. Dla męża trzeba pięknie wyglądać. Zawsze. Jak to słowo boli, zawsze. Kobieta świadczy o swoim mężu, jeśli dba o swój wygląd, znaczy to, że mąż ją kocha, że wciąż ją kocha, wciąż i wciąż. Zawsze. Trzeba się malować dla męża. Dlatego ja ciebie teraz pomaluję i będziesz piękna, kiedy mąż przyjdzie. I zostaniesz piękna zawsze. Zawsze, pamiętaj.

Najlepsze dla cery są mleko, woda różana i perłowy puder. Perłowy puder jest w pojemniku z kości słoniowej. Zrobię ci jeszcze czarną kreskę na powiece, to ładnie wygląda, nie ruszaj się. Nie ruszaj się, co ja mówię.

I krem, koniecznie krem. Trzeba mieć gładkie dłonie. Staram się dbać o moje dłonie, ale zbyt często dotykam ziemi, mogłaby to za mnie robić służba, lecz wolę sama. Kiedy się sieje nasiona, pielęgnuje się rośliny, pracuje się w ogrodzie, kiedy dotyka się ziemi, ona wchodzi za paznokcie, wdrapuje się w naszą intymność, jakby chciała już mieć nas dla siebie, ale to nic, trzeba tylko posmarować ręce kremem albo oliwą, ziemia jest dobra, nieprzyjemnie mieć ją za paznokciami, ale jest dobra, nie chce zrobić człowiekowi krzywdy, tylko go pożąda za wcześnie, tylko o sobie przypomina, nic nie można zrobić.

Kosmetyki położę na stole, na tym malutkim srebrnym stole, żebyś miała wszystko pod ręką. Stół taki malutki jak z domku dla lalek, nie z prawdziwego domu, nie z prawdziwej, świeżo założonej rodziny, tylko z domku dla lalek, dla tych, którzy udają. Dla nieżywych, których trzeba ożywić.

Kiedy byłaś mała, miałaś ulubioną lalkę z ruchomymi rękami i nogami, mogła usiąść i podać dłoń. Ubierałaś ją w kawałki materiału z moich sukni. Źle się ubiera lalkę, nawet gdy ma ruchome ręce i nogi, to przecież większość jej ciała pozostaje sztywna, jakby nie chciała się ubrać. To jest suknia ślubna. Pomogę ci włożyć. Zaraz przyjdzie twój mąż.

Może zresztą nie przyjdzie. Nie wiem. Sama już wszystko zrobiłam, wszystkim się zajęłam, umalowałam cię, ubrałam, on nie jest potrzebny. Może przyjdzie, w końcu to dzień jego ślubu, ale nie umówiłam się z nim na konkretną porę. Wypatruję go i boję się, co powiem, gdy przyjdzie. Nie wiem, czy chcę go widzieć.

Wczoraj nie przyszedł. Przysłał tylko posłańca z pudełkiem. Pudełko kładę tutaj. W środku są kolczyki, naszyjnik i twój pierścionek zaręczynowy. Ładny. Z akwamarynem. Ten chłopak ma dobry gust. Polubiłam go nawet. Dlatego może i lepiej, że nie przychodzi. Wolałam go, kiedy się uśmiechał. Niewiele mówi. Wolałam go, kiedy mówił więcej. On siebie pewnie wtedy też wolał.

Może nie przyjdzie. Chyba wolałabym, żeby nie przychodził. Niech idzie swoją drogą. To nie są sprawy dla mężczyzn. Nigdy. Umieją tylko to, co w środku, a od czego się zaczyna i na czym trzeba skończyć, to już pozostawiają kobietom. Zachowują się tak, jakby nie chcieli wiedzieć. Udają przed sobą, że to nie ich sprawa, że ich narodziny i ich śmierć są inne. Niech nie przychodzi. Pudełko z biżuterią przesłał przez służącego. Sam się nie zjawił. Kolczyki ładne, ale chłopak nawet przez próg nie chciał przejść, gdy mu drzwi otworzyłam, trzymał pudełko w wyciągniętych rękach, skulił głowę między ramiona, jakby skakał ze skały w głęboką wodę. Pewnie wolałby skoczyć, niż wejść do środka. Oddał mi pudełko, bąknął coś i czmychnął. Myślałam nawet, że powinnam te kolczyki odesłać z powrotem; chciał, to dał. Jego wola. Ale niech nie przychodzi.

Lubię go, naprawdę go lubię, chciałam nauczyć się traktować go jak syna, którego nie miałam, skoro ty i on. Ale niech nie przychodzi. Niech się nauczy normalnie żyć. Nic mi nie jest winien. Chciał przesłać kolczyki, to przesłał.

Kamyki do gry włożyłam do drewnianego pudełka. Też ci dam. Zabierz wszystko. Wczoraj próbowaliśmy z twoim ojcem zagrać w naszą ulubioną grę, próbowaliśmy nauczyć się samotności, twój tata nawet na chwilę tak się zapamiętał, gdy przegrywał, że aż krzyknął z podniecenia, krzyknął i opadł na krzesło, zdziwiony własną radością, zaskoczony niepamięcią, na którą nie chciał sobie pozwolić, a która przyszła sama, wdarła się do środka przypadkiem, jak układ kamyków w grze losowej, trochę umiejętności i taktyki, zgoda, zawsze mówiłaś, że to tylko taktyka, że wygrywa ten, kto lepiej gra, umiesz grać, to wygrywasz, proste. Gdybyś nas dzisiaj widziała, przyznałabyś nam rację, nie o taktykę tu chodzi. Trzeba mieć szczęście. Albo trzeba mieć nieszczęście. Albo trzeba zebrać pięć kamyków z pasiastego agatu, wymienić je na jeden z lapis-lazuli, potem pięć kamyków z lapis-lazuli wymienić na jeden malachitowy, wreszcie pięć kamyków z malachitu oddać za jeden z kwarcu, przezroczysty, ciężki, ciężki i bezbarwny. Przestaliśmy wtedy grać. Twój ojciec spakował wszystkie kamyki i zamknął pudełko, trzaskając pokrywą głucho, z wyrzutem, jak ktoś, kto przegrał niesłusznie, a ja wyszłam do ogrodu. Żadne z nas nie chciało wygrać tego ciężkiego, przezroczystego kamienia.

Dziś znowu gramy, ale to już nasza sprawa. Gramy w to, kto lepszy. Kto pierwszy. Kto więcej, bardziej. Najpierw ja się uparłam na srebrne lampy oliwne, a potem chciało mi się śmiać, gdy zobaczyłam ojca stojącego w drzwiach z kałamarzami, do kogo będziesz pisał list, nie da się niczego napisać, jeśli w obu dłoniach trzyma się kałamarze. Może napiszesz zażalenie. Najlepiej do boga, tak, do boga napisz zażalenie, do któregokolwiek, nie wiem, do jakiegoś. Wszystko jedno. Nie zapomnij wysłać. I nie zapomnij czekać na odpowiedź.

Potrąciłam pudełko, które twój ojciec zostawił na brzegu stołu, kolorowe kamienie wysypały się, zastukały na posadzce jak milion tancerek, włóż też tę grę, proszę, powiedział ojciec, nam niepotrzebna, my sobie będziemy grać w nasze stare gry, w kto lepszy, kto pierwszy, kto więcej. I w kto dłużej będzie płakał. Dlaczego tak mówisz, włóż, niczego nigdzie nie wkładam, ja jej daję, po prostu daję, rozumiesz. Chcę dać, to daję. A w kto dłużej będzie płakał wygramy oboje.

Pozbierałam rozsypane kamienie, ułożyłam w pudełku. Najlepiej by było, gdybyś mogła wszystko zabrać, gdyby dało się cały nasz dom, wszystkie sprzęty, naczynia, wszystkie pieniądze twojego ojca, wszystkie moje suknie, wszystkie drzewa w ogrodzie i całą służbę zabrać, pozwolić temu zniknąć, dać tobie na zawsze. Nas też. Żebyśmy my też zniknęli. Żeby nas też można było dać, włożyć, ułożyć obok ciebie.

Twój ojciec nie może sobie znaleźć miejsca, łazi w kółko, przysiada obok mnie, coś przynosi i odnosi, grzebie w rzeczach, jakby się śpieszył, choć nie ma dokąd. Taki jest śmieszny. Śmiałabym się z niego, gdybym mogła się śmiać. Wychodzi, wraca, jakby o czymś ważnym zapomniał. Przyniósł orzech z bursztynu, ten, który podarował ci na piąte urodziny, lubiłaś zasypiać, trzymając bursztynowy orzech w ręce, kiedyś był gładki i można było zajrzeć mu do środka, a potem jego powierzchnia zmatowiała od częstego dotyku twoich dłoni, ojciec pozwalał ci go wszędzie zabierać ze sobą, choć to droga rzecz taki wielki bursztynowy orzech. Twój ojciec na wszystko ci pozwalał, zdecydowanie na zbyt wiele ci pozwalał, ale tak się cieszył, kiedy się urodziłaś, że prawie zwariował ze szczęścia i potem pozwalał tobie, jedynej córce, trzymać w dłoni swój pomieszany rozum jak bursztynowy orzech. Po co przyniosłeś ten orzech, spytałam, nie wolałbyś go zachować na pamiątkę, nie wolałbyś już do końca życia nie wypuścić go z rąk, trzymać to, co ona trzymała, skoro jej nie będziemy już mogli dotknąć. Nie umiałbym, powiedział, niczego już nie umiem. Oduczyłem się. A za stary jestem, by się nauczyć od nowa.

Cykada jest z przezroczystego kamienia z delikatnymi, złocistymi żyłkami. Widać je tylko pod światło, pamiętam, gdzie są, nie muszę ich oglądać, nie chcę wstawać i odsłaniać okien, nie chcę wpuszczać tu słońca. Złociste ścieżki zlewają się w jednolitą plamę w miejscu zakończenia odwłoku i skrzydeł owada, grubych, miękkich skrzydeł, zaznaczonych tylko delikatnie przez rzemieślnika, który wykonał tę figurkę, zasugerowanych, zamykających się jak całun. Nie wiem, co to za kamień, nie wiem, skąd twój ojciec ma tę figurkę, pewnie od kogoś dostał albo wypatrzył na targu, oszacował jej wartość i dał dwie monety nieświadomemu sprzedawcy albo sam pozwolił się oszukać i nie targując się, dał dwie monety za nic niewartą figurkę owada, który większą część życia spędza w ziemi, a kiedy już wychodzi, robi więcej zamieszania niż pięcioro dzieci naszych sąsiadów, nie daje odpocząć, tylko zaleca się na cały głos do innej cykady, cały świat bezczelnie informuje, że szuka swojej wielkiej miłości na pięć minut, by potem znów pozatykać podziemne korytarze grubymi, brzydkimi larwami, by kazać swojemu potomstwu żyć całymi latami pod ziemią. Słyszałem, że mieszkańcy Myken wkładają zmarłym do grobowców figurki cykad, powiedział twój ojciec, ciekawe, po co, spytałam, chyba po to, żeby się darły w pełnym słońcu jak opętane, nie pozwalając nieboszczykom spać spokojnie. Nie, powiedział ojciec, oni chyba wierzą, tak jak Egipcjanie, że ludzie wyjdą kiedyś spod ziemi, tak jak cykady, i będą żyć drugie życie, hałaśliwe i krótkie, brawurowe i niebanalne, że po latach bycia larwą wreszcie, na krótko, osiągniemy dumną i głośną dojrzałość. Ja w to nie wierzę, powiedziałam. Wyrzuć to.

I jeszcze ten dziwny przedmiot, dwudziestościan foremny z kwarcu, przedziwne, ojciec przyniósł to kiedyś do domu, położył na stole i gapił się w to cały wieczór, co to jest, spytałam, dwudziestościan foremny, jedna z pięciu idealnych brył, o których pisał Platon, dwadzieścia ścian, dwanaście wierzchołków, trzydzieści krawędzi, Grecy mówią na tę bryłę ikosahedron. Bryła idealna, doskonałość. Ładne słowo, ikosahedron, brzmi jak zaklęcie, ale co ono zaklina, do czego to jest potrzebne, co z tym zrobić, co zrobić z tym wszystkim teraz, no, co my teraz zrobimy, co teraz, pomyślałeś o tym, powkładamy do wielkiej skrzyni te wszystkie przedmioty, kałamarze, lampy oliwne, sprzęty kuchenne jak dla lalki, perfumy i perłowy puder, ciebie, pierścionek zaręczynowy, cykadę, orzech włoski z bursztynu, na znak, że zostaliśmy głupi, starzy i głupi, wiesz, to nie jest oznaka bogactwa, to oznaka biedy, jesteśmy biedni, starzy i głupi, wszystko nam odebrano, co teraz zrobimy, pomyślałeś, co zrobimy z tą doskonałością, z ikosahedronem twoim, stary głupcze, biedny starcze. Rzuciłam się na niego z pięściami, ale złapał mnie za nadgarstki i przytrzymał, co teraz zrobimy, wrzeszczałam na cały dom, aż zbiegła się służba, co teraz, miało być wesele, będzie pogrzeb, każdy głupi umie wyprawić wesele, każdy głupi umie zorganizować pogrzeb, ale co dalej, co będziemy robić dalej, idź, zapytaj swoich pitagorejczyków, oni się znają na doskonałości, wierzą w ideały, niech popatrzą w ikosahedron i niech ci powiedzą, co dalej, niech ci dadzą doskonałą odpowiedź na pytanie, co mamy teraz robić, bo ja nie wiem, nie wiem.

Nie wiem, odpowiedział twój ojciec. Nigdy nie będę wiedział.

Spis treści